LOS 50 ALIMENTOS MÁS SALUDABLES

INGREDIENTES COTIDIANOS PARA GOZAR DE BUENA SALUD

LOS 50 ALIMENTOS MÁS SALUDABLES

INGREDIENTES COTIDIANOS PARA GOZAR DE BUENA SALUD

Publicado por Parragon en 2012
LOVE FOOD es un sello editorial de Parragon Books Ltd

Parragon Book Ltd
Chartist House
15-17 Trim Street
Bath BA1 1HA, Reino Unido

Copyright © Parragon Books Ltd 2007

Love Food y el logotipo correspondiente son una marca comercial registrada de Parragon Books Ltd
en Australia, Reino Unido, Estados Unidos, la India y la Unión Europea.

www.parragon.com/lovefood

ISBN: 978-1-4723-0228-1

Impreso en China/Printed in China

Fotografía: Clive Streeter
Información nutricional: Judith Wills
Traducción: Carme Franch Ribes para Delivering iBooks, Barcelona
Redacción y maquetación: Delivering iBooks, Barcelona

Notas:
En este libro las medidas se dan en el sistema métrico. Para términos que difieren mucho según la
región, hemos añadido sinónimos en la lista de ingredientes. Se considera que 1 cucharadita equivale
a 5 ml y 1 cucharada, a 15 ml. Si no se da otra indicación, la leche será siempre entera, los huevos
y las verduras u hortalizas, como las patatas, de tamaño medio, y la pimienta, negra y recién molida.
Si no se da otra indicación, las hortalizas de raíz deberán lavarse y pelarse con anterioridad.

Las guarniciones, los adornos y las sugerencias de presentación son opcionales y no se incluyen
necesariamente en la lista de ingredientes o el modo de preparación de la receta.

Los tiempos indicados son orientativos. Los tiempos de preparación pueden variar de una persona a
otra según su técnica culinaria; asimismo, también pueden variar los tiempos de cocción. Los ingredientes opcionales, las variaciones y las sugerencias de presentación no se han incluido en los cálculos.

Las recetas que llevan huevo crudo o poco hecho no están indicadas para niños, ancianos, mujeres
embarazadas ni personas convalecientes o enfermas. Se recomienda a las mujeres embarazadas o
lactantes que no consuman cacahuetes ni productos derivados. Las personas alérgicas a los frutos secos
tendrán que tener en cuenta que algunos de los productos preparados que llevan estas recetas pueden
contenerlos; por tanto, antes de dosificarlos deberán leer atentamente la lista de sus ingredientes.
Compruebe siempre el envase de los productos antes de consumirlos.

Índice

Introducción

Para disfrutar de una vida longeva y saludable basta con adoptar algunos hábitos sencillos que mejorarán el rendimiento del cuerpo y el cerebro. Según los expertos el secreto de una vida sana es una cuestión de sentido común: buenos hábitos, dieta equilibrada y ejercicio físico. Seguir una dieta rica en alimentos saludables constituye una manera fácil de mejorar por dentro y por fuera.

Los 50 alimentos más saludables

La teoría de que algunos alimentos ejercen un efecto duradero en nuestra salud y nuestro bienestar no es nueva. Hace más de doscientos años

Hipócrates, el padre de la medicina moderna, escribió acerca de la relación entre dieta y salud, y hoy día, cada vez más médicos y dietistas recomiendan determinados alimentos para prevenir y tratar enfermedades como cáncer, cardiopatías, alzhéimer, apoplejía y cataratas, entre muchas otras.

Todos los alimentos tienen nutrientes, pero algunos contienen niveles muy elevados de una determinada vitamina, mineral, ácido graso esencial o fitonutriente con eficacia probada para mejorar algún aspecto de la salud. Dichos alimentos son de lo más variados, pero la mejor elección son los

ingredientes de origen natural como frutas y hortalizas, cereales integrales, legumbres, frutos secos y semillas.

Estas páginas reúnen los 50 alimentos más saludables, que no solo cuidan nuestra salud sino que son asequibles, no necesitan grandes elaboraciones y enriquecen nuestra dieta cotidiana. En cada caso se detalla información completa sobre sus propiedades nutricionales, así como consejos sobre la preparación y la conservación.

Propiedades
• Algunos alimentos, como los arándanos negros, el pimiento rojo y la naranja, contienen vitaminas y antioxidantes que neutralizan el daño celular.

• Otros, como el brécol, la col rizada y los berros, tienen nutrientes de origen natural, denominados fitonutrientes, que bloquean el crecimiento de las células cancerígenas.

• Ingredientes como el ajo y la cebolla se consideran unos de los más saludables porque refuerzan el sistema inmunológico al aumentar la resistencia natural del cuerpo ante enfermedades e infecciones.

• El pescado azul, como el salmón, el atún, la caballa y la sardina, aporta muchos beneficios. Los ácidos grasos omega-3 que contiene previenen cardiopatías y son antiinflamatorios, por lo que pueden aliviar los síntomas asociados a afecciones como la artritis.

• Los estudios también demuestran que una dieta rica en pescado azul mejora la concentración de niños y adultos; aunque no les hará más inteligentes, les ayudará a concentrarse y a aumentar el rendimiento intelectual.

• Muchas hierbas y especias también resultan muy saludables. La canela, por ejemplo, que es un ingrediente imprescindible en muchos postres, ayuda a bajar el colesterol malo y mejora los niveles de glucosa en sangre. Además, sus propiedades antiinflamatorias y antibacterianas combaten las infecciones.

Elección de los ingredientes

Pese a sus increíbles propiedades, los alimentos que contienen compuestos saludables no tienen por qué ser caros o exóticos, como por ejemplo muchas de las frutas y hortalizas que consumimos habitualmente, como zanahoria, remolacha, manzana, lentejas y tomate. Esto quiere decir

que para llevar una dieta sana y equilibrada no hace falta gastar mucho dinero ni rastrear ingredientes insólitos en tiendas de dietética: basta con aumentar el consumo de los ingredientes que mejor sientan.

Expertos de todo el mundo avalan la teoría de las propiedades longevas y saludables de algunos alimentos. Algunos estudios apuntan a que una dieta adecuada incluso podría contrarrestar los efectos negativos del tabaco, la falta de ejercicio y el estrés de la vida moderna, y que algunos ingredientes podrían ser la respuesta a afecciones habituales como indigestión, jaqueca y falta de vitalidad. Aunque pudiera parecer que la alternativa más rápida para poner la dieta a punto sería tomar suplementos de vitaminas cada mañana, muchos de estos alimentos contienen un cóctel de ingredientes activos cuya combinación (e interacción) es la que reporta los beneficios para la salud.

Como queremos ponerle las cosas fáciles, en este libro le presentamos los 50 alimentos más saludables, que acompañamos de recetas rápidas, fáciles y deliciosas para que pueda llevar una dieta sana sin renunciar al placer del sabor.

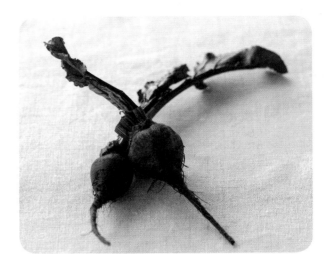

01

Manzanas

Estudios científicos recientes demuestran que la creencia popular de que tomar una manzana al día es garantía de buena salud no iría desencaminada.

Kilocalorías	60
Grasas	Trazas
Proteínas	Trazas
H. de carbono	16 g
Fibra	2,8 g
Vitamina C	5 mg
Potasio	123 mg

Aunque las manzanas no son ricas en ninguna vitamina ni ningún mineral en concreto, a excepción de potasio, contienen altos niveles de fitoquímicos como la quercetina, un flavonoide. Estas sustancias previenen numerosas enfermedades, incluido el cáncer y el alzhéimer, además de tener propiedades antiinflamatorias. Las manzanas son una valiosa fuente de pectina, un tipo de fibra soluble que reduce el colesterol malo (que puede acumularse en las paredes de las arterias que alimentan el corazón y el cerebro) y previene el cáncer de colon. Los estudios demuestran que los adultos que consumen manzanas asiduamente tienen un contorno de cintura inferior, menos grasa abdominal y la tensión sanguínea más baja que los que no lo hacen.

- Ricas en flavonoides para el corazón y los pulmones.
- Bajas en calorías y en índice glucémico.
- Alto contenido en fibra, que favorece la digestión.
- Buena fuente de potasio, que previene la retención de líquidos.

Consejos prácticos:
Guarde las manzanas en un lugar frío y oscuro como el frigorífico o la despensa, dentro de una bolsa de plástico agujereada para que conserven la máxima cantidad de vitamina C. Para que no se ennegrezcan una vez peladas, sumérjalas en un bol con agua y 1 o 2 cucharadas de zumo de limón. Procure comerse también la piel, ya que contiene hasta cinco veces más fitoquímicos que la pulpa.

Manzanas rellenas al horno

PARA 4 PERSONAS

25 g de almendras escaldadas

55 g de orejones de albaricoque (damasco)

1 trozo de jengibre en almíbar escurrido

1 cucharada de miel fluida

1 cucharada de almíbar del jengibre confitado

4 cucharadas de copos de avena

4 manzanas grandes para asar

PREPARACIÓN

1 Precaliente el horno a 180 °C. Pique bien las almendras, los orejones y el jengibre con un cuchillo afilado. Resérvelo.

2 Caliente la miel y el almíbar en un cazo hasta que la miel esté totalmente líquida. Incorpore los copos de avena y déjelo a fuego suave un par de minutos. Aparte el cazo del fuego e incorpore la almendra, los orejones y el jengibre.

3 Retíreles el corazón a las manzanas, ensanche un poco la abertura superior y haga una incisión horizontal a lo largo del centro para que la piel no reviente al asarlas.

4 Ponga las manzanas en una fuente refractaria y rellénelas con la pasta de almendra. Vierta agua en la fuente hasta cubrir un tercio de las manzanas. Áselas 40 minutos en el horno precalentado, o hasta que estén tiernas. Sírvalas enseguida.

Aguacates

La pulpa verde y mantecosa del aguacate es una buena fuente de grasas monoinsaturadas, que son cardiosaludables, pero también contiene otros nutrientes importantes.

Los aguacates contienen mucha grasa, aunque esta es monoinsaturada en su mayoría y ayuda a reducir el colesterol. El ácido oleico que tienen este tipo de grasas también se relaciona con una menor incidencia de cáncer de mama. El aguacate contiene numerosos nutrientes, entre ellos vitaminas C, E y B6, ácido fólico, hierro, magnesio y potasio. Además, contiene beta-sitosterol, un fitoquímico de acción antioxidante que según los estudios regula el colesterol, previene el cáncer y podría mejorar la alopecia masculina relacionada con el envejecimiento.

- Ricos en vitamina E, que fortalece el sistema inmunológico.
- La luteína previene las cataratas y la degeneración macular asociada a la edad.
- Grasa monoinsaturada, que reduce el colesterol.
- Buena fuente de magnesio, que previene cardiopatías.

Consejos prácticos:

Elija ejemplares sin motas ni partes blandas, que podrían ser sinónimo de magulladuras. Estarán en su punto cuando cedan un poco al presionarlos con el pulgar. Para que maduren más deprisa, envuélvalos en papel de periódico junto con un plátano. Para prepararlos, pártalos a lo largo a ras del hueso y gire ambas mitades. Pinche el hueso con la puncha del cuchillo y tire de él para separarlo. Una vez cortada la pulpa, rocíela con zumo de limón o vinagre para que no se oxide.

VALOR NUTRICIONAL DE UN AGUACATE MEDIANO

Kilocalorías	240
Grasas	3 g
Proteínas	22 g
H. de carbono	12,8 g
Fibra	5 g
Vitamina C	9 mg
Potasio	728 mg
Vitamina E	3 mg

Guacamole picante

PARA 4 PERSONAS

2 aguacates (paltas) grandes
el zumo (jugo) de 1-2 limas (limones)
2 dientes de ajo majados
1 cucharadita de guindilla molida suave, o al gusto, sal y pimienta

PREPARACIÓN

1 Parta los aguacates por la mitad. Deseche los huesos. Retire la pulpa con una cuchara y deseche la piel.

2 Ponga el aguacate en el robot de cocina con el zumo de 1 o 2 limas, según el punto de acidez deseado. Añada el ajo y la guindilla y tritúrelo hasta que esté homogéneo.

3 Pase el guacamole a un bol, salpiméntelo y sírvalo.

Naranjas

La naranja es una fuente excelente de vitamina C, el antioxidante que refuerza el sistema inmunológico y previene los signos de la edad.

Kilocalorías	**65**
Grasas	**Trazas**
Proteínas	**1 g**
H. de carbono	**16 g**
Fibra	**3,4 g**
Vitamina C	**64 mg**
Potasio	**238 mg**
Calcio	**61 mg**
Luteína/Zeaxantina	**182 mcg**

. . . .

¿Sabía que...?

Ingiera parte de la membrana blanca de la naranja además de la pulpa, ya que es muy rica en fibra, fitoquímicos valiosos y antioxidantes.

. . . .

Las naranjas son una de las fuentes más económicas de vitamina C, que previene el daño celular y las enfermedades. Además son ricas en fibra, ácido fólico y potasio, así como en calcio, esencial para fortalecer los huesos. Contienen zeaxantina y luteína, dos carotenos que protegen la vista y previenen la degeneración macular asociada a la edad. Las naranjas también contienen rutina, un flavonoide que ralentiza o previene la proliferación de tumores, y nobiletina, un compuesto antiinflamatorio. Todos estos fitonutrientes potencian las propiedades de la vitamina C más si cabe.

- Ricas en vitamina C, que previene infecciones y reduce la intensidad y la duración de los resfriados.
- Bajo índice glucémico, por lo que están indicadas en caso de diabetes y dietas hipocalóricas.
- Buen contenido de pectina, un tipo de fibra soluble que regula el colesterol.
- Acción antiinflamatoria, que previene la artritis.

Consejos prácticos:

Elija ejemplares que pesen bastante en comparación con su tamaño, lo que es signo de frescura y jugosidad. Refrigérelas para que conserven la vitamina C. La piel de naranja es muy rica en nutrientes, pero antes de ingerirla debe frotarse bien y dejarse secar.

Salteado de naranja y zanahoria

PARA 4 PERSONAS

2 cucharadas de aceite de cacahuete (cacahuate, maní)

450 g de zanahorias y 225 g de puerros (poros)

2 naranjas peladas y en gajos

2 cucharadas de kétchup

1 cucharada de azúcar demerara

2 cucharadas de salsa clara de soja

85 g de cacahuetes (cacahuates, manís) troceados

PREPARACIÓN

1 Caliente un wok a fuego fuerte. Vierta el aceite y caliéntelo 30 segundos. Saltee la zanahoria rallada y el puerro cortado en rodajitas 2 o 3 minutos, o hasta que las hortalizas empiecen a estar tiernas.

2 Añada la naranja y caliéntela a fuego bajo.

3 Mezcle el kétchup con el azúcar y la salsa de soja en un cuenco. Échelo en el wok y saltéelo todo 2 minutos más.

4 Reparta el salteado entre cuatro boles calientes y esparza los cacahuetes por encima. Sírvalo enseguida.

Pomelo

El pomelo constituye el desayuno ideal, pues como otros cítricos es una fuente excelente de vitamina C, que refuerza el sistema inmunológico.

El pomelo rosa ya es tan popular como las variedades de pulpa blanca o amarilla. Es algo más dulce y tiene más propiedades saludables; el pigmento rosa revela la presencia de licopeno, con eficacia probada en la prevención de cáncer de próstata, entre otros. Como otros cítricos, el pomelo contiene bioflavonoides, unos compuestos que potencian la acción de la vitamina C, que también está presente en cantidades importantes. El pomelo tiene un índice glucémico bajo y muy pocas calorías, por lo que es muy adecuado en dietas hipocalóricas. Dado que el zumo de pomelo podría interferir en la acción de determinados medicamentos (como los antihipertensivos), si toma medicación consulte con su médico si puede tomarlo.

- Contiene antioxidantes, que previenen el cáncer de próstata, entre otros.
- Rico en vitamina C, que refuerza el sistema inumológico.
- Excelente para dietas hipocalóricas.

Consejos prácticos:

Parta un pomelo por la mitad, espolvoréelo con azúcar, gratínelo un poco y obtendrá un desayuno sano y delicioso. Intente ingerir parte de la membrana blanca junto con la pulpa, ya que también es rica en nutrientes. El pomelo, como otros cítricos, contendrá más zumo si pesa bastante en comparación con su tamaño.

VALOR NUTRICIONAL DE MEDIO POMELO ROSA

Kilocalorías	30
Grasas	Trazas
Proteínas	0,5 g
H. de carbono	7,5 g
Fibra	1,1 g
Vitamina C	37 mg
Potasio	127 mg
Betacaroteno	770 mcg
Ácido fólico	9 mcg
Calcio	15 mg

¿Sabía que...?

El punto amargo del pomelo se debe a la naringenina, un compuesto que reduce el colesterol.

Macedonia de pomelo y naranja

PARA 4 PERSONAS

1 pomelo rosa
1 pomelo amarillo
3 naranjas

PREPARACIÓN

1 Pele los pomelos y las naranjas con un cuchillo afilado,
   retirando también la membrana que recubre los gajos.

2 Trabajando sobre un bol para recoger el zumo que caiga,
   separe los gajos y retire la membrana restante.
   Deseche las pepitas.

3 Ponga los gajos de pomelo y naranja en el bol y mézclelos.
   Tape la macedonia y refrigérela hasta que vaya a servirla,
   o sírvala enseguida.

05

Kiwi

Siendo una fruta, el kiwi contiene una cantidad asombrosa de ácidos grasos omega-3. Esto, unido a su riqueza en vitamina C, mantiene el corazón en forma.

Las pepitas comestibles de la fruta son muy saludables, y las del kiwi apenas se notan. Además de fibra y cinc, las pepitas contienen todos los nutrientes y enzimas necesarios para que la planta prospere, y cuando se ingieren favorecen la proliferación y la regeneración celular. Las del kiwi contienen un 62% de ácido alfa-linolénico, el ácido graso omega-3 que protege el corazón y disminuye la inflamación, tanto por dentro como por fuera del organismo. Además, el kiwi es una rica fuente de cobre, necesario para la producción de colágeno y, por tanto, para mantener sanos la piel, las uñas y los músculos.

- Rico en potasio, que protege los riñones.
- Contiene más vitamina C que la naranja, así como vitamina E y ácidos grasos omega-3 rehidratantes, cuya acción conjunta nutre la piel.
- La vitamina C interactúa con el cobre para producir colágeno, que mantiene la piel tersa y renovada.

Consejos prácticos:

El kiwi puede comerse entero como las manzanas; al ingerir la piel aprovechará la vitamina C que hay debajo, así como la fibra insoluble y los antioxidantes de la fruta. Para saber si un kiwi está en su punto, presiónelo: la piel cederá un poco pero no así la pulpa. Las rodajas de kiwi secas son un aperitivo muy sano que encontrará en establecimientos especializados.

VALOR NUTRICIONAL DE UN KIWI MEDIANO

Kilocalorías	46
Grasas	0,39 g
Proteínas	0,85 g
H. de carbono	11,06 g
Fibra	2,26 g
Vitamina C	69,9 mg
Vitamina E	1,10 mg
Potasio	235 mg
Cobre/Zeaxantina	0,10 mcg
Calcio	22,66 mg
Cinc	25,64 mg
Omega-3	31,75 mg

Batido de kiwi

PARA 2 PERSONAS

1 mango
4 kiwis
350 ml de zumo (jugo) de piña
(ananás)
4 hojas de menta

PREPARACIÓN

1 Parta el mango en 2 rodajas gruesas a ras del hueso.
Pélelo y trocéelo. Recupere también la pulpa que haya
quedado adherida al hueso.

2 Pele los kiwis con un cuchillo afilado y trocéelos.

3 Ponga el mango, el kiwi, el zumo de piña y la menta en el robot
de cocina o la batidora y bátalo hasta que esté bien mezclado.
Reparta el batido entre 2 vasos enfriados y sírvalo.

06

Arándanos

Estas bayas de un intenso color púrpura son los frutos más ricos en antioxidantes, unos compuestos que previenen varias enfermedades.

VALOR NUTRICIONAL DE 50 G DE ARÁNDANOS

Kilocalorías	29
Grasas	Trazas
Proteínas	0,4 g
H. de carbono	7,2 g
Fibra	1,2 g
Vitamina C	5 mg
Vitamina E	2,4 mg
Ácido fólico	34 mcg
Potasio	39 mg
Luteína/Zeaxantina	40 mcg

Los arándanos fueron unos de los primeros alimentos señalados por sus propiedades saludables, y se cree que solo un puñado de estas bayas al día podría prevenir algunas enfermedades. El pterostilbeno que contienen podría ser igual de efectivo que los medicamentos para reducir el colesterol, además de prevenir la diabetes y algunos tipos de cáncer. Los arándanos también son una buena fuente de antocianinas, que previenen cardiopatías y la pérdida de memoria. Son ricos en vitamina C y fibra, y también podrían ser coadyuvantes en las infecciones del tracto urinario.

• Contienen pterostilbeno, un compuesto que reduce el colesterol.
• Previenen cardiopatías, diabetes y algunos tipos de cáncer.
• Podrían ser coadyuvantes en las infecciones del tracto urinario.
• La luteína y la zeaxantina protegen la vista.

Consejos prácticos:
Los arándanos son bastante dulces y es mejor comerlos crudos para que conserven la vitamina C. Guárdelos en un recipiente que no sea metálico para que no se ennegrezcan. Téngalos siempre a mano y aumentará fácilmente el contenido nutricional de magdalenas, tartas y macedonias. Incluso congelados conservan casi todos los nutrientes.

Arándanos con frutos secos y yogur

PARA 4 PERSONAS

3 cucharadas de miel fluida

85 g de frutos secos sin sal variados

8 cucharadas de yogur griego desnatado (descremado)

200 g de arándanos

PREPARACIÓN

1 Caliente la miel en un cazo a fuego medio. Eche los frutos secos y remueva hasta que se caramelicen. Apártelos del fuego y déjelos enfriar un poco.

2 Reparta el yogur entre 4 boles, esparza los frutos secos caramelizados y los arándanos por encima y sírvalo enseguida.

07

Frambuesas

Muy rica en vitamina C, fibra y antioxidantes cardiosaludables, la frambuesa es una de las frutas más nutritivas que existen.

VALOR NUTRICIONAL DE 100 g DE FRAMBUESAS

Kilocalorías	52
Grasas	0,6 g
Proteínas	1,2 g
H. de carbono	12 g
Fibra	6,5 g
Vitamina C	26 mg
Vitamina B3	0,6 mg
Vitamina E	0,8 mg
Ácido fólico	21 mcg
Potasio	151 mg
Calcio	25 mg
Hierro	0,7 mg
Cinc	0,4 mg

Las frambuesas son asombrosamente nutritivas, sobre todo si se comen crudas y enteras, ya que la cocción o la manipulación destruyen algunos antioxidantes, en especial las antocianinas. Estos pigmentos rojos y púrpuras de origen natural poseen una eficacia probada en la prevención de cardiopatías y algunos tipos de cáncer, y podrían prevenir las varices. Las frambuesas también contienen altos niveles de ácido elágico, un compuesto con propiedades anticancerígenas. Asimismo, son ricas en fibra y contienen buenas cantidades de hierro, que el organismo absorbe bien gracias a la abundancia de vitamina C.

- Ricas en antioxidantes.
- Podrían prevenir las varices.
- Una ración contiene aproximadamente la mitad de la dosis diaria recomendada de vitamina C.
- El alto contenido en fibra reduce el colesterol.

¿Sabía que...?

Las frambuesas están formadas por varias drupas, frutos más pequeños agrupados alrededor de un rabillo central. Cada drupa contiene una semilla, por eso las frambuesas son tan ricas en fibra.

Consejos prácticos:

Las frambuesas son muy perecederas, por lo que deben recolectarse maduras y consumirse lo antes posible. Aun así pueden congelarse; para ello debe extenderlas en una sola capa y meterlas en recipientes de plástico. No lave las frambuesas antes de guardarlas si no es estrictamente necesario, ya que podrían destruirse los nutrientes. Las frambuesas contienen pectina, un tipo de fibra soluble de acción gelificante, lo que las convierte en una fruta ideal para hacer confitura.

Refresco de frambuesa y pera

PARA 2 PERSONAS

2 peras Conferencia grandes
y maduras

125 g de frambuesas
congeladas

200 ml de agua helada

miel, al gusto

frambuesas, para adornar
(opcional)

PREPARACIÓN

1 Pele las peras, córtelas en cuartos y retíreles el corazón. Bátalas con las frambuesas y el agua en el robot de cocina o la batidora hasta obtener un puré homogéneo.

2 Endúlcelo con miel al gusto. Reparta el refresco entre 2 vasos enfriados, adórnelo con frambuesas si lo desea y sírvalo.

08

Plátano

El plátano es el tentempié de los deportistas, ya que aporta energía rápida y de calidad al organismo. Va muy bien para rellenar y reparar las células.

Si bien el plátano es rico en azúcar, también es cierto que no hay que prescindir de él gracias a sus valiosas propiedades. Un plátano maduro contiene abundante fibra, incluida inulina, un tipo de fibra prebiótica que estimula la proliferación de bacterias beneficiosas (probióticas) en el intestino, la primera barrera de defensa del sistema inmunológico. El equilibrio intestinal previene afecciones de origen inflamatorio como eccema, asma y artritis, además de favorecer la digestión y la absorción de nutrientes para mantener un buen estado de salud.

- El potasio y la vitamina C transportan el oxígeno por todo el cuerpo y renuevan y revitalizan la piel.
- Contiene altos niveles de potasio, vitamina C y vitamina B6, sustancias todas ellas cardiosaludables.
- Los atletas confían en el cóctel de nutrientes de los plátanos para aumentar el rendimiento, la recuperación y la respuesta muscular.
- Favorece la función renal y previene la retención de líquidos, reduciendo la hinchazón para tener un aspecto más juvenil.

Consejos prácticos:
Es mejor comer los plátanos cuando la piel está de color amarillo fuerte, sin magulladuras. Evite los que estén demasiado maduros o marronosos, ya que se habrán destruido los azúcares y la fruta estará blanda y dulzona. Las personas aquejadas de flemas o congestión nasal deben evitar el consumo de plátanos para no agravar estas afecciones.

VALOR NUTRICIONAL DE UN PLÁTANO MEDIANO

Kilocalorías	105
Grasas	0,39 g
Proteínas	1,29 g
H. de carbono	26,95 g
Fibra	3,1 g
Vitamina B6	0,43 mg
Vitamina C	10,3 mg
Potasio	422 mg

¿Sabía que...?

El término «banana» deriva del árabe *banan,* que significa «dedo». Los plátanos crecen en racimos de hasta 20 frutos llamados «manos».

Batido de plátano y fresa

PARA 2 PERSONAS

1 plátano (banana) en rodajas
115 g de fresas (frutillas)
sin el rabillo
150 ml de yogur natural

PREPARACIÓN

1 En el robot de cocina o la batidora, bata el plátano con las fresas y el yogur unos segundos hasta obtener un puré homogéneo. Reparta el batido entre 2 vasos y sírvalo enseguida.

09

Brécol

El brécol, que es muy rico en selenio, es la hortaliza del género *Brassica* que ofrece una mayor protección frente al cáncer de próstata.

Kilocalorías	34
Grasas	0,4 g
Proteínas	2,8 g
H. de carbono	6,6 g
Fibra	2,6 g
Vitamina C	89 mg
Selenio	2,5 mcg
Betacaroteno	361 mcg
Calcio	47 mg
Luteína/Zeaxantina	1.403 mcg

Hay muchas variedades de brécol, pero cuanto más oscuro sea, mayor será la cantidad de nutrientes beneficiosos. Contiene sulforafano e indoles, que se ha demostrado que previenen el cáncer, en especial de mama y de colon. El brécol también es rico en flavonoides, que los estudios relacionan con una reducción significativa de la incidencia de cáncer de ovarios. Los fitoquímicos del brécol también podrían prevenir úlceras estomacales. Estos actúan como un depurativo que reduce el colesterol malo, refuerza el sistema inmunológico y previene las cataratas.

- Rico en varios nutrientes que previenen algunos tipos de cáncer.
- Luteína y zeaxantina para prevenir la degeneración macular.
- Combate la bacteria *H. pylori,* lo que se traduce en un efecto beneficioso en el intestino y el tracto digestivo.
- Rico en calcio para reforzar y proteger los huesos.
- Fuente excelente de vitamina C y selenio, dos antioxidantes.

Consejos prácticos:

Elija ejemplares de color fuerte y evite los que tengan motas pálidas, amarillas o marrones. Las hojas y el troncho también son comestibles y contienen valiosos nutrientes. El brécol congelado conserva el valor nutritivo del fresco, y es una forma de conservación muy práctica. Para prepararlo, hiérvalo un poco al vapor o saltéelo.

Salteado de brécol con cacahuetes

PARA 4 PERSONAS

3 cucharadas de aceite vegetal

1 tallo de limoncillo troceado

2 guindillas (ajís picantes, pimientos chicos, chiles) rojas frescas sin pepitas (semillas) y picadas

1 trozo de jengibre de 2,5 cm pelado y rallado

3 hojas de lima (limón) kafir partidas

3 cucharadas de pasta de curry verde

1 cebolla picada

1 pimiento (ají, morrón, chile) rojo sin pepitas (semillas) y picado

350 g de brécol (brócoli) en ramitos

115 g de judías verdes (chauchas, ejotes)

55 g de cacahuetes (cacahuates, manís) tostados sin sal

PREPARACIÓN

1 En el robot de cocina o la batidora, triture 2 cucharadas del aceite con el limoncillo, la guindilla, el jengibre, las hojas de lima y la pasta de curry hasta obtener una pasta homogénea.

2 Caliente un wok a fuego fuerte. Vierta el aceite restante y caliéntelo 30 segundos. Eche la pasta de especias, la cebolla y el pimiento y saltéelo 2 o 3 minutos, hasta que las hortalizas empiecen a ablandarse.

3 Incorpore el brécol y las judías verdes, tape el wok y cuézalo todo 4 o 5 minutos a fuego lento, hasta que las hortalizas estén tiernas.

4 Agregue los cacahuetes, remueva y sirva el salteado.

Zanahorias

Las hortalizas más ricas en carotenos previenen algunos tipos de cáncer y enfermedades cardiovasculares, además de proteger la vista y los pulmones.

Las zanahorias son unos de los tubérculos más nutritivos. Son una fuente excelente de antioxidantes y el vegetal más rico en carotenos, que les confieren su característico color naranja. Estos compuestos previenen enfermedades cardiovasculares y algunos tipos de cáncer. Los carotenos podrían evitar las cardiopatías en un 45%, conservar la vista y mantener sanos los pulmones. Las zanahorias también son ricas en fibra, vitaminas C y E (antioxidantes), calcio y potasio. Actualmente se realizan estudios sobre las propiedades del falcarinol, otro de sus compuestos, para combatir tumores.

- Ricas en caroteno, que previene el colesterol malo y las cardiopatías.
- Previenen algunos tipos de cáncer y enfisemas.
- Las mujeres que consumen al menos cinco zanahorias a la semana tienen dos tercios menos de probabilidades de padecer apoplejías.
- Protegen la vista y la visión nocturna.
- Contienen abundantes vitaminas, minerales y fibra.

Consejos prácticos:

Cuanto más oscuras sean, más carotenos contendrán. Retire toda la parte verde del tallo de las zanahorias antes de cocinarlas, ya que son levemente tóxicas. Los nutrientes de las zanahorias se asimilan mejor si están cocidas que si están crudas, y si se les añade un poco de aceite vegetal durante la cocción se favorece la absorción de los carotenos.

VALOR NUTRICIONAL DE 100 G DE ZANAHORIAS

Kilocalorías	41
Grasas	Trazas
Proteínas	0,9 g
H. de carbono	9,6 g
Fibra	2,8 g
Vitamina C	6 mg
Vitamina E	0,7 mg
Betacaroteno	8.285 mcg
Calcio	33 mg
Potasio	320 mg
Luteína/Zeaxantina	256 mcg

¿Sabía que...?

La ingesta abundante de zanahorias puede provocar carotenemia, una afección inocua que tiñe la piel de naranja.

Ensalada de zanahoria india

PARA 4-6 PERSONAS

450 g de zanahorias peladas

1 cucharada de aceite vegetal

½ cucharada de semillas de mostaza negra y ½ de comino

1 guindilla (ají picante, pimiento chico, chile) verde sin pepitas (semillas) y picada

½ cucharadita de azúcar y ½ de sal

1 pizca de cúrcuma molida

1½-2 cucharadas de zumo (jugo) de limón

PREPARACIÓN

1 Ralle gruesas las zanahorias en un bol y resérvelas.

2 Caliente un wok a fuego medio-fuerte. Vierta el aceite y caliéntelo 30 segundos. Saltee las semillas de mostaza y de comino hasta que las primeras comiencen a saltar. Aparte enseguida el wok del fuego e incorpore la guindilla, el azúcar, la sal y la cúrcuma. Déjelo enfriar 5 minutos.

3 Eche las especias calientes con el aceite que no se hayan embebido sobre la zanahoria y añada el zumo de limón. Mézclelo bien y rectifique la sazón. Tape el bol y refrigere la ensalada al menos 30 minutos. Mézclela bien antes de servirla.

Pimientos rojos

Todos los ejemplares del género _Capsicum_, como el pimiento y la guindilla, poseen magníficas propiedades rejuvenecedoras, y protegen el corazón y la piel.

**VALOR NUTRICIONAL
DE UN PIMIENTO ROJO MEDIANO**

Kilocalorías	**37**
Grasas	**0,36 g**
Proteínas	**1,18 g**
H. de carbono	**7,18 g**
Fibra	**2,5 g**
Vitamina A	**6.681 UI**
Vitamina C	**222 mg**
Vitamina B6	**0,35 mg**
Ácido fólico	**25,7 mcg**

El color rojo se debe a la presencia de licopeno, un carotenoide de acción antioxidante que es solo uno de los nutrientes que los distinguen de los pimientos verdes. También contienen el doble de vitamina C y unas nueve veces más caroteno que estos. Parte importante de la dieta mediterránea, los pimientos rojos protegen el corazón ya que los altos niveles de antioxidantes mantienen las arterias en buen estado. La vitamina B6 y el ácido fólico reducen los niveles de homocisteína, una sustancia que aun siendo de origen natural en grandes cantidades se relaciona con cardiopatías y demencia.

- Ricos en vitaminas, minerales y fitoquímicos.
- La vitamina A previene el daño de los rayos ultravioletas en la piel, que provoca arrugas y manchas.
- Vitaminas C y B6, que es necesaria para fabricar los ácidos gástricos imprescindibles para destruir las bacterias perjudiciales.
- Ácido fólico, que favorece la proliferación de células y la renovación cutánea.

Consejos prácticos:

Los pimientos tienen que pesar bastante y tener el rabillo sano. La piel debe estar lisa, firme y sin arrugas. Evite los ejemplares con marcas o motas negras. Refrigérelos, sin lavar, en una bolsa de plástico hasta una semana. Los carotenoides liposolubles necesitan aceite para llegar al organismo, por lo que si aliña los pimientos rojos con aceite de oliva serán el doble de saludables y se absorberán mejor sus propiedades.

Pimientos rellenos a la albahaca

PARA 4 PERSONAS

140 g de arroz basmati integral

4 pimientos (ajís, morrones, chiles) rojos grandes

2 cucharadas de aceite de oliva

1 diente de ajo picado

4 chalotes (echalotes, escalonias) picados

1 rama de apio picada

3 cucharadas de nueces picadas

2 tomates (jitomates) pelados y picados

1 cucharada de zumo (jugo) de limón

50 g de pasas

4 cucharadas de parmesano recién rallado (opcional)

2 cucharadas de albahaca picada

sal y pimienta

PREPARACIÓN

1   Precaliente el horno a 180 °C. Cueza el arroz en una cazuela de agua hirviendo con un poco de sal 35 minutos. Escúrralo, páselo bajo el chorro de agua fría y vuelva a escurrirlo.

2   Mientras tanto, rebane la parte superior de los pimientos con un cuchillo afilado y resérvela. Extraiga las semillas y la membrana, y escalde los pimientos y la parte cortada en agua hirviendo 2 minutos. Escúrralos y enjuáguelos con agua fría.

3   Caliente la mitad del aceite en una sartén. Sofría el ajo y el chalote 3 minutos. Incorpore el apio, las nueces, el tomate, el zumo de limón y las pasas y déjelo 5 minutos más. Apártelo del fuego e incorpore el arroz, el parmesano (si lo desea), la albahaca, sal y pimienta.

4   Rellene los pimientos con el arroz y dispóngalos en una fuente refractaria. Cúbralos con la parte rebanada, rocíelos con el aceite restante, tápelos holgadamente con papel de aluminio y áselos 45 minutos en el horno precalentado. Sírvalos.

12

Coles de Bruselas

Las coles de Bruselas son ricas en nutrientes que refuerzan el sistema inmunológico, y deben consumirse asiduamente para disfrutar de sus propiedades beneficiosas.

VALOR NUTRICIONAL DE 100 g DE COLES DE BRUSELAS

Kilocalorías	43
Grasas	0,3 g
Proteínas	3,4 g
H. de carbono	9 g
Fibra	3,8 g
Vitamina C	85 mg
Ácido fólico	61 mcg
Magnesio	23 mg
Calcio	42 mg
Selenio	1,6 mcg
cinc	0,4 mg
Betacaroteno	450 mcg
Luteína/Zeaxantina	1.590 mcg

Las coles de Bruselas son una valiosa hortaliza de invierno que aporta grandes niveles de vitamina C y otros nutrientes que refuerzan el sistema inmunológico. Son ricas en sulforafano, un compuesto de acción depurativa que se ha demostrado que limpia el organismo de carcinógenos. Según los estudios, el consumo habitual de coles de Bruselas previene los daños en el ADN y minimiza la proliferación del cáncer de mama. Incluso contienen pequeñas cantidades de ácidos grasos omega-3, cinc y selenio, un mineral que muchos adultos no ingieren en la cantidad diaria recomendada. Las personas que consumen grandes cantidades de esta y otras hortalizas del género *Brassica* podrían estar menos expuestas al cáncer de próstata, colon y pulmón.

• Ricas en indoles y otros compuestos que previenen el cáncer, también podrían minimizar la proliferación de células cancerígenas.
• Muy ricas en vitamina C, que refuerza el sistema inmunológico.
• Los indoles también ayudan a reducir el colesterol malo.
• Muy ricas en fibra, que favorece la salud intestinal.

Consejos prácticos:
Elija ejemplares de color verde fuerte y cogollos apretados que no tengan hojas amarillentas. Una breve cocción al vapor o con agua es la mejor forma de prepararlas y mantener sus nutrientes. No las hierva demasiado, de lo contrario se destruiría la vitamina C. La cocción excesiva también altera su sabor y hace que despidan un olor desagradable.

Coles de Bruselas con castañas

PARA 4 PERSONAS

350 g de coles (repollos)
de Bruselas

2 cucharadas de mantequilla

100 g de castañas enteras en
conserva escurridas

1 pizca de nuez moscada
rallada

sal y pimienta

50 g de almendra fileteada,
para adornar

PREPARACIÓN

1   Cueza las coles de Bruselas en una olla de agua hirviendo con
un poco de sal 5 minutos. Escúrralas bien.

2   Derrita la mantequilla en una cazuela a fuego medio. Saltee las
coles 3 minutos y, después, añada las castañas y la nuez moscada.

3   Salpimiente y remueva bien. Saltéelo todo 2 minutos más y
apártelo del fuego. Páselo a una fuente precalentada, esparza
la almendra fileteada por encima y sírvalo.

13

Tomates

El tomate es una de las hortalizas de ensalada más saludables porque contiene licopeno, que previene el cáncer de próstata, y compuestos que evitan la formación de coágulos.

Los tomates son nuestra fuente principal de licopenos, un caroteno de acción antioxidante que combate cardiopatías y podría prevenir el cáncer de próstata. Asimismo ejercen un efecto anticoagulante gracias a los salicilatos, y contienen otros antioxidantes como vitamina C, quercetina y luteína. Los tomates tienen pocas calorías pero mucho potasio, y contienen una buena cantidad de fibra.

- Buena fuente de licopeno, que podría prevenir el cáncer de próstata.
- Un tomate mediano contiene casi una cuarta parte de la dosis diaria de vitamina C recomendada para un adulto.
- Ricos en potasio, que regula los fluidos corporales.
- La quercetina y la luteína previenen las cataratas y mantienen sanos el corazón y la vista.
- Contienen salicilatos, que ejercen un efecto anticoagulante.

Consejos prácticos:

Cuanto más rojo y maduro esté el tomate, más licopeno tendrá. Los tomates madurados al sol contienen más licopeno que los que se dejan madurar una vez recolectados. La piel del tomate es más rica en nutrientes que la pulpa, mientras que el corazón es rico en salicilatos, por lo que para aprovechar todos sus nutrientes no los pele ni los despepite. El organismo absorbe mejor el licopeno de los tomates crudos o cocidos si se consumen con aceite, por lo que si los prepara en ensalada, alíñelos con vinagreta o un aliño a base de aceite.

VALOR NUTRICIONAL DE 100 g DE TOMATES

Kilocalorías	18
Grasas	0,2 g
Proteínas	0,9 g
H. de carbono	3,9 g
Fibra	1,2 g
Vitamina C	12,7 mg
Potasio	237 mg
Licopeno	2.573 mcg
Luteína/Zeaxantina	123 mcg

¿Sabía que...?

El licopeno es más activo en los productos preparados, como kétchup, concentrado de tomate y zumo de tomate, que en el tomate crudo.

Salsa de tomate

PARA 600 ML

1 cucharada de aceite de oliva

1 cebolla pequeña picada

2-3 dientes de ajo majados

1 ramita de apio picada

1 hoja de laurel

450 g de tomates (jitomates) maduros pelados y picados

1 cucharada de concentrado de tomate (jitomate), disuelto en 150 ml de agua

4 ramitas de orégano fresco

pimienta

PREPARACIÓN

1   Caliente el aceite a fuego medio en una cazuela de base gruesa. Sofría la cebolla, el ajo, el apio y el laurel, removiendo a menudo, 5 minutos.

2   Incorpore el tomate y el concentrado. Sazone con pimienta y añada el orégano. Llévelo a ebullición, baje el fuego, tape la cazuela y déjelo a fuego lento, removiendo, de 20 a 25 minutos, hasta que el tomate haya perdido toda el agua. Si prefiere que la salsa quede más espesa, prosiga con la cocción 20 minutos más.

3   Deseche el laurel y el orégano. Triture la salsa en la batidora o el robot de cocina hasta obtener un puré con trozos grandes. Si prefiere que la salsa quede más fina, pásela por un colador fino que no sea metálico. Rectifique la sazón. Caliente la salsa antes de servirla.

14

Espinacas

Al contrario de lo que se cree, las espinacas no contienen niveles notables de hierro, pero aun así destacan por otras propiedades nutricionales muy buenas.

Kilocalorías	23
Grasas	0,4 g
Proteínas	2,2 g
H. de carbono	3,6 g
Fibra	2,2 g
Vitamina C	28 mg
Vitamina A	9.377 UI
Betacaroteno	5.626 mcg
Vitamina E	2,03 mg
Vitamina K	483 mg
Ácido fólico	194 mg
Calcio	99 mg
Magnesio	79 mg
Hierro	2.071 mg

¿Sabía que...?

Las espinacas contienen tiramina, un aminoácido estimulante del sistema nervioso. Si padece insomnio, evite los alimentos que contengan esta sustancia antes de ir a dormir.

Los investigadores han descubierto que muchos flavonoides de las espinacas ejercen una acción antioxidante y podrían prevenir el cáncer de estómago, piel, mama y próstata, entre otros. Las espinacas también son muy ricas en carotenos, que protegen la vista. Contienen abundante vitamina K, que refuerza los huesos y podría prevenir la osteoporosis. Asimismo las espinacas contienen péptidos, que disminuyen la tensión arterial, además de ser relativamente ricas en vitamina E, que protege el cerebro del deterioro cognitivo asociado a la edad.

- Contiene ácido alfa-lipoico y glutatión para mantener el rendimiento intelectual.
- Ácido fólico para la proliferación, la vitalidad y la renovación celular.
- Buenos niveles de aminoácidos esenciales, imprescindibles para la reparación de huesos y músculos.
- Hierro para hacer llegar el oxígeno a todo el organismo, que a su vez es necesario para rellenar las células.

Consejos prácticos:

Elija hojas que no estén amarillentas; de hecho cuanto más oscuras sean, más nutrientes tendrán. Los carotenos de las espinacas se absorben mejor cuando las hojas se cuecen en lugar de comerse crudas y se aliñan con aceite. Para conservar los antioxidantes, cuézalas al vapor o saltéelas. Para prepararlas, lávelas y hiérvalas solo con el agua que quede adherida a las hojas, removiendo si fuera necesario.

Curry rojo con verduras

PARA 4 PERSONAS

2 cucharadas de aceite de
cacahuete (cacahuate, maní)
o aceite vegetal

2 cebollas en rodajas finas

1 manojo de espárragos
trigueros

400 ml de leche de coco baja
en grasa

2 cucharadas de pasta
de curry rojo

3 hojas de lima (limón) kafir

225 g de espinacas tiernas

2 cogollos de pak choi picados

1 col (repollo) china pequeña
en juliana

1 puñado de cilantro picado

arroz hervido, para acompañar

PREPARACIÓN

1 Caliente un wok a fuego medio-fuerte. Vierta el aceite
   y caliéntelo 30 segundos. Saltee la cebolla y los espárragos
   un par de minutos.

2 Añada la leche de coco, la pasta de curry y las hojas de lima
   y llévelo a ebullición a fuego suave. Incorpore las espinacas,
   el pak choi y la col china y prosiga con la cocción 2 o 3 minutos,
   hasta que pierdan volumen. Incorpore el cilantro y sírvalo
   con arroz.

Ajo

Conocido por sus propiedades saludables desde tiempos inmemoriales, el ajo es un valioso antibiótico que además podría prevenir cardiopatías y cáncer.

VALOR NUTRICIONAL DE 2 DIENTES DE AJO

Kilocalorías	9
Grasas	Trazas
Proteínas	0,4 g
H. de carbono	2 g
Fibra	Trazas
Vitamina C	2 mg
Potasio	24 mg
Calcio	11 mg
Selenio	11 mg

¿Sabía que...?

La cocción de carne a altas temperaturas puede provocar efectos carcinogénicos, pero si se cocina con ajo se reduce la producción de estas sustancias nocivas.

Aunque suele consumirse en pequeñas cantidades, el ajo ejerce un efecto positivo en la salud. Contiene potentes compuestos de azufre, que le confieren su fuerte olor pero además son la fuente principal de sus efectos beneficiosos. Según los estudios, el consumo habitual de ajo reduce el riesgo de cardiopatías y varios tipos de cáncer. Es un potente antibiótico e inhibe infecciones por hongos como el pie de atleta. Además, podría evitar las úlceras estomacales. Ingerido en cantidades razonables, el ajo es una buena fuente de vitamina C, selenio, potasio y calcio.

• Podría prevenir la formación de coágulos y la acumulación de placa en las arterias y, por tanto, evitar cardiopatías.
• El consumo habitual de ajo reduce la incidencia de cáncer de colon, estómago y próstata.
• Antibiótico natural, antiviral y antifúngico.
• Podría prevenir úlceras estomacales.

Consejos prácticos:

Elija cabezas de ajos grandes, duras y sin magulladuras y guárdelas en un recipiente agujereado en un lugar oscuro, fresco y seco. Para pelarlos, golpee los dientes con la hoja de un cuchillo ancho y sométalos a una breve cocción para que conserven sus compuestos beneficiosos. Májelo o píquelo y déjelo reposar unos minutos antes de cocinar con él. Para eliminar el mal aliento, masque unas hojas de perejil tras ingerirlo.

Champiñones al ajillo

PARA 4 PERSONAS

2 cabezas de ajo

2 cucharadas de aceite de oliva

350 g de champiñones oscuros, partidos por la mitad si son grandes

1 cucharada de perejil picado

8 cebolletas (cebollas tiernas o de verdeo) en trozos de 2,5 cm

sal y pimienta

PREPARACIÓN

1 Precaliente el horno a 180 °C. Maje un poco las cabezas de ajos y póngalas en una fuente refractaria. Rocíelas con 2 cucharaditas del aceite, salpimiéntelas generosamente y áselas 30 minutos en el horno precalentado.

2 Saque las cabezas de ajos del horno y rocíelas con 1 cucharadita del aceite restante. Devuélvalas al horno y áselas 45 minutos más. Sáquelas y déjelas enfriar. Separe los dientes de las cabezas y pélelos.

3 Caliente una sartén a fuego medio. Eche el aceite de la fuente refractaria y el aceite restante y saltee los champiñones, removiendo a menudo, 4 minutos.

4 Añada los dientes de ajo, el perejil y la cebolleta y saltéelo todo, removiendo, 5 minutos más. Salpimiente y sírvalo.

Col rizada

La col rizada, uno de los ejemplares más nutritivos del género *Brassica*, contiene más antioxidantes que cualquier otra hortaliza y es una buena fuente de vitamina C.

La col rizada es uno de los ejemplares más nutritivos del género *Brassica*. Es la hortaliza más rica en antioxidantes, así como en calcio y hierro. Una sola ración contiene el doble de la cantidad diaria recomendada de vitamina C, que favorece la absorción del abundante hierro presente en sus hojas. Una ración de 100 g también proporciona una quinta parte de las necesidades diarias de calcio para un adulto. La col rizada es rica en selenio, que previene el cáncer, y contiene magnesio y vitamina E para proteger el corazón. Sus más de 45 flavonoides contienen propiedades antioxidantes y antiinflamatorias.

- Rica en flavonoides y antioxidantes para prevenir el cáncer.
- Contiene indoles, que reducen el colesterol malo y previenen el cáncer.
- Rica en calcio para fortalecer los huesos.
- Muy rica en carotenos para proteger la vista.

VALOR NUTRICIONAL DE 100 g DE COL RIZADA

Kilocalorías	50
Grasas	0,7 g
Proteínas	3,3 g
H. de carbono	10 g
Fibra	2 g
Vitamina C	120 mg
Ácido fólico	29 mcg
Vitamina E	1,7 mg
Potasio	447 mg
Magnesio	34 mg
Calcio	135 mg
Hierro	1,7 mg
Selenio	0,9 mcg
Betacaroteno	9.226 mcg
Luteína/Zeaxantina	39.550 mcg

Consejos prácticos:

Lávela bien para eliminar la tierra o la suciedad acumulada en los pliegues de las hojas. No deseche las hojas externas más verdes, ya que contienen altos niveles de carotenos e indoles. Prepárela como si fuera repollo, ya sea al vapor o salteada. Su sabor fuerte va bien con panceta, huevos y queso. Tenga en cuenta que la col rizada, como las espinacas, pierde mucho volumen tras la cocción.

¿Sabía que...?

La col rizada contiene sustancias de origen natural que interfieren en la función de la tiroides, por lo que si padece alguna afección relacionada con esta glándula deberá evitar su consumo.

Salteado de col rizada

PARA 4 PERSONAS

750 g de col (repollo) rizada

2 cucharadas de aceite de girasol

1 cebolla y 4 dientes grandes de ajo, picados

2 pimientos (ajís, morrones, chiles) rojos en rodajas finas

1 zanahoria pelada y rallada

100 g de ramitos de brécol (brócoli)

1 pizca de copos de guindilla (ají picante, chile) (opcional)

125 ml de caldo de verduras

115 g de brotes de soja

sal y pimienta

1 puñado de anacardos (castañas de cajú, nueces de la India) tostados picados, para adornar

gajos de limón, para servir

PREPARACIÓN

1   Retire la parte dura de las hojas de col y córtelas en juliana. Resérvela.

2   Caliente un wok a fuego fuerte. Eche el aceite y caliéntelo 30 segundos. Saltee la cebolla unos 3 minutos y añada el ajo, el pimiento y la zanahoria. Siga salteándolo hasta que la cebolla esté tierna y el pimiento comience a ablandarse. Agregue el brécol y la guindilla y mézclelo.

3   Añada la col al wok y remueva. Vierta el caldo y salpimiente. Baje el fuego a medio y prosiga 5 minutos con la cocción hasta que la col esté tierna.

4   Mezcle los brotes de soja con los otros ingredientes con dos tenedores y rectifique la sazón. Esparza los anacardos sobre las hortalizas y sírvalo con gajos de limón.

17

Apio

Considerado el tentempié de las dietas hipocalóricas, el apio es rico en potasio y calcio, evita la retención de líquidos y previene la hipertensión.

El apio está muy indicado en las dietas hipocalóricas ya que contiene mucha agua y pocas calorías. Aun así, es una hortaliza práctica y sana por muchas otras razones: es una buena fuente de potasio y muy rica en calcio, que fortalece los huesos, regula la tensión arterial y equilibra el sistema nervioso. Las ramas y las hojas más oscuras del apio contienen más vitaminas y minerales que las más claras, por lo que no hay que desecharlas. Asimismo, el apio contiene poliacetilenos y ftálidos, dos compuestos que previenen afecciones inflamatorias y controlan la hipertensión.

• Bajo en calorías y grasa y rico en fibra.
• Buena fuente de potasio.
• El calcio protege los huesos y regula la tensión arterial.
• Protector de afecciones inflamatorias.

Consejos prácticos:
Elija cogollos de apio que tengan las hojas frescas y de un color verde fuerte. Guárdelos en una bolsa de plástico o film transparente para que las ramas no se enmustien. El apio enriquece las sopas y los guisos, y las ramas pueden escaldarse con caldo de verduras y servirse como guarnición de pescado, aves o caza. Las hojas pueden comerse en ensalada o como guarnición.

VALOR NUTRICIONAL DE 100 g DE APIO

Kilocalorías	16
Grasas	0,17 g
Proteínas	0,69 g
H. de carbono	2,97 g
Fibra	1,6 g
Vitamina C	3,1 mg
Vitamina B3	0,32 mg
Vitamina B5	0,25 mg
Ácido fólico	36 mg
Calcio	40 mg
Magnesio	11 mg
Potasio	260 mg

Zumo de apio y manzana

PARA 2 PERSONAS

115 g de apio picado

1 manzana pelada, sin el corazón y en dados

600 ml de leche

1 pizca de azúcar (opcional)

sal (opcional)

tiras de apio, para adornar

PREPARACIÓN

1   Bata el apio con la manzana y la leche en la batidora hasta que esté homogéneo.

2   Si lo desea, incorpore el azúcar y una pizca de sal. Repártalo entre 2 vasos enfriados, adórnelo con tiras de apio y sírvalo.

Guisantes

Recién recolectados o congelados, los guisantes son ricos en vitamina C, son una buena fuente de fibra y contienen luteína, que protege la vista.

VALOR NUTRICIONAL DE 100 g DE GUISANTES DESVAINADOS

Kilocalorías	81
Grasas	0,4 g
Proteínas	5,4 g
H. de carbono	14,5 g
Fibra	5,1 g
Vitamina C	40 mg
Vitamina E	Trazas
Ácido fólico	65 mcg
Potasio	244 mg
Luteína/Zeaxantina	2.477 mcg

Los guisantes son una fuente excelente de vitaminas y minerales. Contienen cantidades importantes de antioxidantes como vitamina C, ácido fólico y vitamina B3, y al ser ricos en luteína y zeaxantina previenen la degeneración macular asociada a la edad. Las vitaminas del grupo B también previenen la osteoporosis y reducen la incidencia de apoplejías al mantener bajos los niveles de homocisteína en sangre. Los guisantes son una buena fuente de proteínas para las personas que llevan una dieta restringida, como los vegetarianos. Además, parte de la fibra incluye pectina, una sustancia gelatinosa que reduce el colesterol y previene cardiopatías y arteriosclerosis.

• Contienen varios nutrientes y fitoquímicos cardiosaludables.
• Ricos en carotenos, que protegen la vista y previenen el cáncer.
• Ricos en fibra total y soluble, que reduce el colesterol.
• Muy ricos en vitamina C.

Consejos prácticos:
Si compra los guisantes con las vainas, compruebe que estén bien apretados. Si están poco frescos estarán casi cuadrados, tendrán menos sabor y serán harinosos porque los azúcares se habrán transformado en almidón. Si las vainas son tiernas pueden comerse con los guisantes dentro, y si estos son tiernos pueden comerse crudos. Cuézalos al vapor o hiérvalos en muy poca agua brevemente, de lo contrario la vitamina C quedaría en el agua.

¿Sabía que...?
A menudo los guisantes congelados contienen más vitamina C y otros nutrientes que los guisantes frescos con las vainas, que pueden llevar varios días recolectados.

Sopa fría de guisantes

PARA 4 PERSONAS

425 ml de caldo de verduras
o agua

450 g de guisantes (arvejas,
chícharos) congelados

55 g de cebolletas (cebollas
tiernas o de verdeo) troceadas

300 ml de yogur natural

sal y pimienta

PARA ADORNAR

2 cucharadas de menta picada

ralladura de limón y aceite de oliva

PREPARACIÓN

1   Lleve el caldo a ebullición a fuego medio en una olla. Baje el fuego, eche los guisantes y la cebolleta y cuézalos 5 minutos.

2   Déjelo enfriar un poco y, después, tritúrelo bien con la batidora de brazo o el robot de cocina. Páselo a un bol grande, salpimiente e incorpore el yogur. Tápelo con film transparente y refrigérelo varias horas, o hasta que esté bien frío.

3   Para servir la sopa, remuévala bien y repártala entre 4 boles. Adórnela con la menta picada, ralladura de limón y un chorrito de aceite de oliva.

19

Remolacha

Este tubérculo dulce y encarnado no es de las hortalizas más nutritivas que existen pero merece la pena incluirla en la dieta, sobre todo en invierno.

VALOR NUTRICIONAL DE 100 G DE REMOLACHA

Kilocalorías	36
Grasas	**Trazas**
Proteínas	**1,7 g**
H. de carbono	**7,6 g**
Fibra	**1,9 g**
Vitamina C	**5 mg**
Ácido fólico	**150 mg**
Potasio	**380 mg**
Calcio	**20 mg**
Hierro	**1,0 mg**
Magnesio	**23 mg**

Hay remolacha blanca y dorada además de la morada-roja, pero esta última variedad contiene más nutrientes que las otras dos. La betaína, que le confiere su color intenso, es un antioxidante incluso más potente que los polifenoles para bajar la tensión arterial. Según un estudio científico, los altos niveles de nitratos del zumo de remolacha previenen los coágulos como si de aspirina se tratase, además de proteger el revestimiento de los vasos sanguíneos. La remolacha roja también es rica en antocianinas, que previenen el cáncer de colon, entre otros.

• La betaína reduce la tensión arterial y tiene propiedades antiinflamatorias.
• Contiene nitratos que previenen la formación de coágulos.
• Las antocianinas previenen el cáncer.
• Buena fuente de hierro, magnesio y ácido fólico.

Consejos prácticos:
La remolacha cocida se conserva varios días en un recipiente hermético refrigerado, o bien puede triturarse y congelarse. Para prepararla, corte las hojas y deje un tallo de unos 5 cm para que no se «desangre» durante la cocción. Puede hervirla entera unos 50 minutos o untarla con un poco de aceite, envolverla en papel de aluminio y asarla 1 hora en el horno a 200 °C. Después le será muy fácil pelarla. La remolacha también puede comerse cruda, pelada y rallada en ensalada, o bien licuarse.

Ensalada de remolacha y espinacas

PARA 4 PERSONAS

650 g de remolacha
(betarraga) cocida

3 cucharadas de aceite de
oliva virgen extra

el zumo (jugo) de 1 naranja

1 cucharadita de azúcar

1 cucharadita de semillas
de hinojo

115 g de espinacas tiernas

sal y pimienta

PREPARACIÓN

1   Corte la remolacha en dados con un cuchillo afilado
    y resérvela.

2   Caliente el aceite en un cazo de base gruesa. Eche el zumo
    de naranja, el azúcar y las semillas de hinojo y salpimiente.
    Remueva hasta que el azúcar se haya disuelto.

3   Agregue la remolacha y remueva con suavidad para que se
    impregne bien de los sabores. Apártelo del fuego.

4   Disponga las espinacas en una ensaladera. Reparta la
    remolacha caliente por encima y sirva la ensalada enseguida.

Puerros

Del género *Allium* como el ajo y la cebolla, el puerro contiene una serie de nutrientes beneficiosos para la piel, los huesos y el corazón.

El puerro tiene un característico sabor algo dulce a cebolla, aunque más suave. Los tallos largos y gruesos son blancos por abajo y verdes por arriba. La parte verde es comestible, aunque suele eliminarse porque está dura. Según los estudios el puerro reduce al colesterol malo y aumenta el bueno, además de prevenir cardiopatías y arteriosclerosis. El consumo habitual también se relaciona con una menor incidencia de cáncer de próstata, ovarios y colon. Las propiedades anticancerígenas se atribuyen al sulfuro de alilo de la planta, pero también contiene vitamina C, fibra, vitamina E, ácido fólico y varios minerales importantes.

- Bajan el colesterol malo y suben el bueno.
- Acción suavemente diurética para prevenir la retención de líquidos.
- Ricos en carotenos, incluidas luteína y zeaxantina, para conservar la vista.

Consejos prácticos:
Lave bien los puerros para eliminar los restos de tierra entre las hojas apretadas. Cuanto más aproveche la parte verde, más nutrientes conservará. Cuézalos al vapor o saltéelos en lugar de hervirlos para que conserven las vitaminas. Como la parte más oscura del puerro tarda más en hacerse, píquela y échela en la cazuela antes que la blanca.

VALOR NUTRICIONAL DE UN PUERRO MEDIANO

Kilocalorías	61
Grasas	0,3 g
Proteínas	1,5 g
H. de carbono	2,9 g
Fibra	1,8 g
Vitamina C	12 mg
Vitamina B6	0,23 mg
Vitamina K	47 mcg
Ácido fólico	64 mcg
Calcio	59 mcg
Magnesio	28 mg

Sopa de pollo y puerro

PARA 6-8 PERSONAS

2 cucharadas de aceite
de oliva

2 cebollas troceadas

2 zanahorias peladas
y troceadas

5 puerros (poros), 2 troceados
y 3 en rodajitas

1 pollo de 1,3 kg sin la piel
ni la grasa

2 hojas de laurel

6 ciruelas troceadas

sal y pimienta

ramitas de perejil,
para adornar

PREPARACIÓN

1   Caliente el aceite a fuego medio en una olla. Saltee la cebolla, la zanahoria y el puerro troceado 3 o 4 minutos, hasta que empiecen a dorarse.

2   Eche el pollo y el laurel en la olla. Cúbralo con agua fría y salpimiente generosamente. Llévelo a ebullición, baje el fuego, tape la olla y cuézalo de 1 a 1½ horas, espumando la superficie durante la cocción. Déjelo al fuego hasta que el pollo esté tierno y al pinchar la parte más carnosa con una brocheta salga un jugo claro.

3   Saque el pollo del caldo, separe la carne y córtela en trozos del tamaño de un bocado. Cuele el caldo con un colador, desechando las hortalizas y el laurel, y devuélvalo a la olla enjuagada. Retire la grasa que pueda tener el caldo.

4   Lleve el caldo a ebullición. Añada el puerro en rodajas y las ciruelas y caliéntelo todo 1 minuto.

5   Devuelva el pollo cocido a la olla y caliéntelo bien. Reparta la sopa en boles precalentados y sírvala adornada con ramitas de perejil.

Calabaza

La calabaza contiene alfacaroteno, betacaroteno y luteína, potentes nutrientes antienvejecimiento de color naranja que protegen la piel de los rayos solares.

VALOR NUTRICIONAL DE 100 g DE CALABAZA

Kilocalorías	13
Grasas	0,1 g
Proteínas	1 g
H. de carbono	6,5 g
Fibra	0,5 g
Vitamina C	9 mg
Vitamina E	1,06 mg
Vitamina B2	0,11 mg
Vitamina B6	0,06 mg
Ácido fólico	16 mcg
Betacaroteno	3.100 mcg
Luteína/Zeaxantina	1.500 mcg
Fitoesteroles	12 mg

Los carotenoides liposolubles de la calabaza protegen las partes adiposas de la piel, el corazón, los ojos, el cerebro y el hígado. Como la naturaleza es sabia, la calabaza es una hortaliza de invierno que protege el organismo cuando más lo necesita: cuando hace frío comemos más grasas y las acumulamos a modo de aislante. Las pipas de calabaza son muy ricas en nutrientes, mientras que la pulpa naranja contiene ácido málico –también presente en manzanas y ciruelas– para renovar las células del organismo. En combinación con la acción protectora de los carotenoides, el ácido málico mantiene la piel firme, los huesos fuertes y los órganos vitales sanos.

• Contiene fitoesteroles, que protegen el sistema inmunológico y regulan el colesterol.
• Contiene vitamina B12, que estimula la producción de ácido fólico, y vitamina B6, que procesa las grasas y las proteínas de los alimentos para reparar y rejuvenecer los tejidos del cuerpo y las membranas mucosas.

Consejos prácticos:

La calabaza puede hervirse, cocerse al vapor o asarse, y va bien tanto para platos dulces como salados. Para no enmascarar su delicado sabor es mejor endulzarla con moderación. Para preparar un aperitivo saludable, tueste las pipas de calabaza en el horno.

¿Sabía que...?

El término *pumpkin* («calabaza» en inglés) deriva del griego *peponi,* que significa «melón grande». Los franceses la llaman *pompon* y, antes de adoptar el vocablo *pumpkin,* los británicos se referían a ella como *pumpion.*

Curry de calabaza y zanahoria

PARA 4 PERSONAS

150 ml de caldo de verduras

1 trozo de galanga de 2,5 cm en rodajas

2 dientes de ajo picados

1 tallo de limoncillo (solo la parte blanca) picado

2 guindillas (ajís picantes, pimientos chicos, chiles) rojas frescas sin pepitas (semillas) y picadas

4 zanahorias peladas y en trozos grandes

225 g de calabaza (zapallo anco, zapallito) pelada, sin pepitas (semillas) y en dados

2 cucharadas de aceite de cacahuete (cacahuate, maní)

2 chalotes (echalotes, escalonias) picados

3 cucharadas de pasta de curry amarillo

400 ml de leche de coco

4-6 hojas de albahaca tailandesa

25 g de pipas (semillas) de calabaza (zapallo anco, zapallito) un poco tostadas, para adornar

PREPARACIÓN

1 Ponga el caldo en una olla y llévelo a ebullición. Eche la galanga, la mitad del ajo, el limoncillo y la guindilla y déjelo hervir a fuego suave 5 minutos. Añada la zanahoria y la calabaza y cuézalas 5 o 6 minutos, hasta que estén tiernas.

2 Mientras tanto, caliente un wok a fuego fuerte. Vierta el aceite y caliéntelo 30 segundos. Saltee el chalote y el ajo restante 2 o 3 minutos. Incorpore la pasta de curry y prosiga con la cocción un par de minutos más.

3 Eche el chalote salteado en la olla y añada la leche de coco y la albahaca. Déjelo hervir a fuego lento 2 o 3 minutos. Sirva la sopa caliente, adornada con las pipas de calabaza tostadas.

22

Pavo

El pavo, rico en proteínas y bajo en grasas, es una buena alternativa al pollo que se prepara en un santiamén y ofrece muchas posibilidades.

El pavo es conocido por su alto contenido en triptófano, un aminoácido esencial a partir del cual el organismo fabrica serotonina, que regula el estado de ánimo, la conducta del sueño y el apetito. Como es rico en proteínas mantiene a raya el apetito al equilibrar la concentración de glucosa en sangre, por lo que controla el deseo de comer dulces e impide los bajones de energía. La parte blanca de la carne se considera más saludable que la oscura porque es menos grasa, pero la diferencia es mínima. De hecho, la oscura activa más el metabolismo para que queme combustible, lo que favorece la pérdida peso y controla el hambre.

- El hierro mantiene la vitalidad al fabricar las células que el organismo convierte en combustible y al ayudar a los músculos a almacenar oxígeno.
- El ácido glutámico regula la glucosa en sangre.
- Contiene el cinc necesario para fabricar serotonina, la hormona del bienestar. También es imprescindible para reparar el organismo.

Consejos prácticos:
El pavo es una alternativa baja en grasa al pollo, con el que comparte muchos nutrientes. Los animales de corral, que comen más sano y viven al aire libre, son más magros y gustosos, además de perder menos agua durante la cocción. El pavo se prepara y cocina igual que el pollo.

VALOR NUTRICIONAL DE 100 g DE PAVO SIN PIEL

Kilocalorías	**111**
Grasas	**0,65 g**
G. saturadas	**0,21 g**
G. monoinsaturadas	**0,11 g**
Proteínas	**24,6 g**
H. de carbono	**0 mg**
Fibra	**0 mg**
Vitamina B3	**6,23 mg**
Vitamina B5	**0,72 mg**
Vitamina B6	**0,58 mg**
Hierro	**1,17 mg**
Cinc	**1,24 mg**
Ácido glutámico	**4,02 g**

Pan de pita con ensalada de pavo

PARA 1 UNIDAD

1 manojito de espinacas tiernas
enjuagadas, secadas y en
juliana

½ pimiento (ají, morrón, chile)
rojo sin semillas y en tiras finas

½ zanahoria pelada y rallada
gruesa

4 cucharadas de hummus

85 g de pavo cocido, sin piel ni
huesos y en tiras

½ cucharada de pipas
(semillas) de girasol

1 pan de pita integral

sal y pimienta

PREPARACIÓN

1   Precaliente el gratinador a la temperatura máxima.

2   Mezcle las espinacas con el pimiento, la zanahoria y el hummus
en un bol grande de modo que todos los ingredientes queden
impregnados de hummus. Incorpore el pavo y las pipas de
girasol y salpimiente.

3   Caliente el pan de pita bajo el gratinador alrededor de
1 minuto por cada lado, sin dejar que se dore. Pártalo por
la mitad.

4   Rellene los panes con la ensalada y sírvalos.

23

Pollo

Una sola ración de pollo criado en libertad rico en proteínas aporta dos tercios de los nutrientes necesarios para regenerar la piel, los huesos y los músculos.

Un 22% del cuerpo humano es proteína, y algo menos de la mitad de esta, músculo. Los músculos necesitan regenerarse continuamente, sobre todo después de hacer ejercicio, para que el cuerpo mantenga la movilidad y la postura. El estrés recurre a las proteínas del organismo para fabricar adrenalina, pero los alimentos ricos en proteínas como el pollo las pueden sustituir de modo que el cuerpo las absorba con facilidad. Si el pollo se ha criado al aire libre y se ha alimentado de forma natural también aporta vitaminas del grupo B que mantienen la vitalidad y la función intelectual.

- Las proteínas forman colágeno, necesario a diario para rejuvenecer la piel, el pelo, las uñas y los órganos internos.
- Contiene ácido hialurónico, que hidrata el colágeno y este, a su vez, el organismo.
- Contiene ácido glutámico, la proteína principal del músculo humano, garantía de fuerza y facilidad de regeneración.
- El selenio es un mineral de acción antioxidante que neutraliza metales tóxicos como el mercurio, el plomo y el aluminio.

Consejos prácticos:
Tenga en cuenta que los pollos de granja no trabajan suficiente los músculos para desarrollarlos como fuente de proteínas y suelen tener más grasa que los que se han criado al aire libre. Aunque resulta algo más caro, vale la pena consumir animales criados de forma ecológica.

VALOR NUTRICIONAL DE 100 g DE POLLO SIN PIEL

Kilocalorías	114
Grasas	2,59 g
Proteínas	0 mg
H. de carbono	0 mg
Fibra	10,43 mg
Vitamina C	0 mg
Potasio	Trazas
Licopeno	Trazas
Luteína/Zeaxantina	Trazas

Pollo a la tailandesa

PARA 4 PERSONAS

1 cucharada de aceite de oliva

1 diente de ajo picado

1 trozo de jengibre de 2,5 cm pelado y picado

1 guindilla (ají picante, pimiento chico, chile) roja fresca pequeña sin pepitas (semillas) y picada

350 g de pechuga de pollo sin hueso ni piel y en tiras finas

1 cucharada de mezcla tailandesa de 7 especias

1 pimiento (ají, morrón, chile) rojo y 1 amarillo sin pepitas (semillas) y en tiras

2 calabacines (zapallitos) en rodajitas

227 g de brotes de bambú en conserva escurridos

2 cucharadas de zumo (jugo) de manzana

1 cucharada de salsa clara de soja

2 cucharadas de cilantro picado, y un poco más para adornar

sal y pimienta

PREPARACIÓN

1 Caliente un wok a fuego fuerte. Vierta el aceite y caliéntelo unos 30 segundos. Saltee el ajo, el jengibre y la guindilla 30 segundos para que suelten todo su sabor.

2 Añada el pollo y las especias tailandesas y saltéelo unos 4 minutos o hasta que el pollo se dore uniformemente. Agregue el pimiento y el calabacín y saltéelo 1 o 2 minutos o hasta que se ablanden un poco.

3 Incorpore el bambú y prosiga con la cocción 2 o 3 minutos más o hasta que el pollo esté hecho y tierno. Vierta el zumo de manzana y la salsa de soja, salpimiente y saltéelo un par de minutos más en el fuego.

4 Incorpore el cilantro y sírvalo enseguida, adornado con más cilantro picado.

24

Buey ecológico

El buey de producción ecológica que se alimenta en pastos aporta grasas esenciales que suelen faltar en la dieta y que protegen la piel, los huesos y el corazón.

El ganado que se cría en libertad suele moverse más, por lo que su carne es más magra: una ración de 85 g contiene un 6% menos de grasa que el de granja alimentado con pienso. Esto no solo es importante para mantener la línea, sino sobre todo porque su grasa es de mayor calidad. Contiene altos niveles de ácidos grasos omega-3, que mantienen jóvenes las articulaciones, el cerebro y la piel. Otro tipo de grasa, el ácido linoleico conjugado (CLA), se obtiene directamente de la hierba y permite quemar la grasa en forma de energía, lo que acelera el metabolismo y evita ganar kilos de más. Los bajos niveles de CLA de nuestra dieta están relacionados en parte con el aumento de obesidad.

- Contiene cuatro veces más vitamina E que el buey alimentado con pienso.
- El selenio alivia la ansiedad, la depresión y la fatiga, y su carencia se asocia a la degeneración del corazón y los huesos.
- Es la carne más rica en cinc, que mantiene la tez resplandeciente y las uñas fuertes.
- La coenzima Q-10 alimenta las células del organismo, sobre todo las del corazón.

Consejos prácticos:

Déjese aconsejar por su carnicero para comprar carne de buey de confianza. El lomo, el solomillo y la falda son los cortes más sanos y magros. Al tratarse de un alimento denso muy nutritivo basta con comerlo de 2 a 4 veces al mes para aprovechar sus propiedades.

VALOR NUTRICIONAL DE 100 g DE BUEY ECOLÓGICO

Kilocalorías	192
Grasas	12,73 g
Grasas saturadas	5,34 g
Proteínas	19,42 g
Fibra	0 mg
Vitamina B3	4,82 mg
Vitamina B5	0,58 mg
Vitamina B6	0,36 mg
Vitamina B12	1,97 mg
Vitamina E	930 mcg
Hierro	1,99 mg
Cinc	4,55 mg
Selenio	14,2 mcg

Salteado picante de buey

PARA 4 PERSONAS

1 cucharadita de aceite de oliva

140 g de filetes de buey (vaca), por ejemplo, de redondo, con la grasa recortada y en tiras finas

1 pimiento (ají, morrón, chile) naranja sin pepitas (semillas) y en tiras finas

4 cebolletas (cebollas tiernas o de verdeo) picadas

1-2 guindillas (ajís picantes, pimientos chicos, chiles) rojas frescas sin pepitas (semillas) y picadas

2-3 dientes de ajo picados

115 g de tirabeques (bisaltos, ejotes, arvejas planas) despuntados y partidos por la mitad al bies

115 g de champiñones silvestres grandes en láminas

1 cucharadita de salsa hoisin, o al gusto

1 cucharada de zumo (jugo) de naranja recién exprimido

85 g de rúcula o berros

PREPARACIÓN

1   Caliente un wok a fuego fuerte. Vierta el aceite y caliéntelo 30 segundos. Saltee la carne 1 minuto, o hasta que se dore. Retírela con una espumadera y resérvela.

2   En el wok, saltee 2 minutos el pimiento con la cebolleta, la guindilla y el ajo. Eche los tirabeques y los champiñones y saltéelo 2 minutos más.

3   Devuelva la carne al wok y añada la salsa hoisin y el zumo de naranja. Siga salteándolo 2 o 3 minutos, o hasta que la carne esté tierna y las hortalizas, al dente. Incorpore la rúcula y saltéela solo un instante. Reparta el salteado entre 4 boles precalentados y sírvalo enseguida.

25

Venado

La carne de venado es similar a la de vacuno, solo que más magra. Aporta proteínas densas pero no la grasa saturada perjudicial para el corazón.

Esta fuente de proteínas reúne varias vitaminas del grupo B que mantienen el cuerpo joven y sano. Contiene taurina y cistina, dos aminoácidos ricos en azufre que ayudan al hígado a depurar las toxinas del organismo como parte del proceso metabólico. Si dichas toxinas se dejan circular, el cuerpo se cansa, enferma y es incapaz de curarse y renovarse. La taurina y la cistina también mantienen los minerales esenciales en el organismo, tonifican la sangre, previenen cardiopatías y mejoran la circulación para mantener la piel sana y luminosa.

- Las vitaminas B12 y B6 limpian el cerebro y el corazón de homocisteína, una sustancia que puede provocar demencia y cardiopatías.
- La vitamina B3 favorece la movilidad de las articulaciones y previene la osteoporosis.
- Contiene cinc, que revitaliza la piel y mantiene limpios los poros.
- En combinación, el cinc y el selenio fabrican enzimas depurativas que rejuvenecen las células de todo el organismo.
- El hierro impulsa el oxígeno por todo el cuerpo para que pueda regenerarse.

Consejos prácticos:
Pregúntele a su carnicero cuál es la mejor época para comprar carne de venado. Si es de animales salvajes será más sana porque no contendrá hormonas. Congele la carne un par de horas como mínimo antes de cocinarla para matar los parásitos o las tenias. Ase los filetes de venado a la plancha y prepare los cortes menos tiernos estofados con tubérculos y especias.

VALOR NUTRICIONAL DE 100 G DE VENADO

Kilocalorías	157
Grasas	7,13 g
Grasas saturadas	3,36 g
Proteínas	21,78 g
H. de carbono	0 mg
Fibra	0 mg
Vitamina B2	0,55 mg
Vitamina B3	0,69 mg
Vitamina B5	0,75 mg
Vitamina B6	32 mcg
Vitamina B12	3,15 g
Hierro	2,92 g
Cinc	4,2 mg
Selenio	10 mg

Filetes de venado asados

PARA 4 PERSONAS

4 filetes de venado
ramitas de tomillo fresco,
para adornar

ADOBO:

150 ml de vino tinto
2 cucharadas de aceite
de oliva
1 cucharada de vinagre
de vino tinto
1 cebolla picada
1 cucharada de perejil picado
1 cucharada de tomillo fresco
picado
1 hoja de laurel
1 cucharadita de miel de
buena calidad
½ cucharadita de mostaza
suave
sal y pimienta

PREPARACIÓN

1 La víspera, coloque los filetes de venado en una fuente llana
que no sea metálica.

2 Para preparar el adobo, mezcle todos los ingredientes en un
bol y bátalo enérgicamente hasta obtener una emulsión.

3 Rocíe los filetes con el adobo, tápelos y déjelos macerar toda
la noche en el frigorífico. Deles la vuelta de vez en cuando para
que se adoben bien.

4 Precaliente el gratinador a la temperatura máxima. Gratine los
filetes 2 minutos por cada lado para sellarlos.

5 Baje el gratinador a temperatura media y ase la carne de 4 a
10 minutos más por cada lado, según el punto deseado. Pruebe
la carne pinchando la punta de un cuchillo: el jugo saldrá rojizo
si está medio hecha o claro si está bien asada.

6 Reparta los filetes entre 4 platos, adórnelos con ramitas
de tomillo fresco y sírvalos enseguida.

Salmón

El salmón es una fuente excelente de ácidos grasos omega-3, selenio para prevenir el cáncer y vitamina B12 para proteger el corazón y un tipo de anemia.

VALOR NUTRICIONAL DE 100 G DE SALMÓN

Kilocalorías	183
Grasas	10,8 g
Proteínas	19,9 g
EPA	0,618 g
DHA	1,293 g
Niacina	7,5 mg
Vitamina B6	0,64 mcg
Vitamina B12	2,8 mcg
Ácido fólico	26 mcg
Vitamina E	1,9 mg
Vitamina C	3,9 mg
Potasio	362 mg
Selenio	36,5 mcg
Magnesio	28 mg
Cinc	0,4 mg

En general, el salmón que consumimos hoy es de piscifactoría. Aunque el salvaje suele ser menos graso y registrar niveles algo superiores de algunos nutrientes, ambos son bastante similares. El salmón es una fuente importante de aceites de pescado, que previenen cardiopatías, la formación de coágulos, apoplejías, hipertensión, colesterolemia, alzhéimer, depresión y algunas afecciones cutáneas. Además, es una fuente rica de selenio, que previene el cáncer, así como de proteínas, niacina, vitamina B12, magnesio y vitamina B6.

- Previene cardiopatías y apoplejías.
- Mantiene sano el cerebro y mejora la resistencia a la insulina.
- Contiene buenos niveles de ácido docosahexaenoico (DHA) y ácido eicosapentaenoico (EPA), esenciales para el cerebro y la vista.
- Mitiga el dolor articular y podría prevenir el cáncer.

Consejos prácticos:
Si es posible, compre salmón salvaje. El de piscifactoría, aunque contiene los mismos nutrientes, tiene el doble de grasa. Para beneficiarse de los ácidos grasos omega-3, cueza el salmón brevemente, ya sea escalado o a la plancha. La cocción excesiva podría oxidar los ácidos grasos, que perderían sus propiedades. El salmón congelado conserva las grasas saludables, las vitaminas y los minerales, pero el enlatado pierde parte de estos nutrientes.

Salteado de salmón y vieiras

PARA 6 PERSONAS

6 cucharadas de aceite de cacahuete (cacahuate, maní)

280 g de salmón en un trozo, sin piel y en dados de 2,5 cm

225 g de vieiras sin las valvas

3 zanahorias en rodajitas

2 ramas de apio en trozos de 2,5 cm

2 pimientos (ajís, morrones, chiles) amarillos en tiras finas

175 g de setas (hongos) de cardo en láminas finas

1 diente de ajo majado

6 cucharadas de cilantro picado

3 chalotes (echalotes, escalonias) en rodajitas

el zumo (jugo) de 2 limas (limones)

1 cucharadita de ralladura de lima (limón)

1 cucharadita de copos de guindilla (ají picante, pimiento chico, chile)

3 cucharadas de jerez seco

3 cucharadas de salsa de soja

fideos cocidos, para acompañar

PREPARACIÓN

1 Caliente un wok grande a fuego fuerte. Vierta el aceite y caliéntelo 30 segundos. Saltee el salmón y las vieiras 3 minutos. Retírelos del wok y resérvelos calientes.

2 En el mismo aceite, saltee la zanahoria, el apio, el pimiento, las setas y el ajo 3 minutos. Agregue el cilantro y el chalote.

3 Incorpore el zumo y la ralladura de lima, la guindilla, el jerez y la salsa de soja, devuelva el salmón y las vieiras al wok y saltéelo todo un par de minutos más, hasta que se calienten los ingredientes. Reparta el salteado entre 6 boles precalentados sobre un lecho de fideos cocidos y sírvalo.

Atún

El atún fresco es una fuente importante de ácidos grasos omega-3 y antioxidantes para las arterias y el corazón, además de ser rico en vitamina E para la piel.

VALOR NUTRICIONAL DE 100 G DE ATÚN

Kilocalorías	144
Grasas	4,9 g
Proteínas	23 g
EPA	0,4 g
DHA	1,2 g
Niacina	8,3 mg
Vitamina B5	1 mg
Vitamina B6	0,5 mg
Vitamina B12	9,4 mg
Vitamina E	1 mg
Potasio	252 mg
Selenio	36 mcg
Magnesio	50 mg
Hierro	1 mg
Cinc	0,6 mg

Con su consistencia similar a la carne, el atún fresco o congelado es la elección ideal incluso para los poco amantes del pescado, y además resulta fácil y rápido de preparar. Es una fuente excelente de proteínas y muy rico en vitaminas del grupo B, selenio y magnesio. Una pequeña ración cubre un 20% de las necesidades diarias de vitamina E. Aunque en general concentra menos ácidos grasos omega-3 que otros tipos de pescado azul, la presencia de grasas saludables es notable. Las grasas DHA resultan muy efectivas a la hora de mantener el corazón y el cerebro a pleno rendimiento. Basta tomar una ración de atún a la semana para obtener la cantidad semanal recomendada de 1,4 g.

- Buena fuente de ácidos grasos omega-3 y ácidos EPA y DHA, que previenen varias enfermedades.
- Rico en magnesio y selenio para mantener el corazón sano.
- Muy rico en vitamina B12 para mantener un buen perfil sanguíneo.

¿Sabía que...?

Los estudios demuestran que el atún en conserva pierde la mayoría de los ácidos grasos omega-3, por lo que no cuenta como una ración de pescado azul.

Consejos prácticos:

El pescado fresco no debe oler mal ni tener los ojos turbios u opacos, y es mejor cocinarlo el mismo día que se compra. Para que conserve todas las propiedades de los ácidos grasos omega-3, selle el atún un poco por ambos lados el menor tiempo posible. Los filetes de atún también pueden trocearse y saltearse con hortalizas ya que, al contrario que otros tipos de pescado, su textura consistente no se deshace.

Ensalada de atún y alubias blancas

PARA 6 PERSONAS

100 ml de aceite de oliva
virgen extra

el zumo (jugo) de 1 limón

¹/₂ cucharadita de copos
de guindilla (ají picante,
pimiento chico, chile)

¹/₄ de cucharadita de pimienta
molida gruesa

4 filetes finos de atún fresco
de unos 450 g

800 g de alubias (chícharos)
blancas cocidas

1 chalote (echalote, escalonia)
picado

1 diente de ajo majado

2 cucharaditas de romero
fresco picado

2 cucharaditas de perejil
picado

4 alcachofas (alcauciles) en
aceite escurridas
y en cuartos

4 tomates (jitomates)
madurados al sol
en gajos

16 aceitunas negras sin hueso

sal y pimienta

gajos de limón, para servir

PREPARACIÓN

1 Ponga 4 cucharadas del aceite, 3 cucharadas del zumo de limón, la guindilla y la pimienta en una fuente llana. Añada el atún y déjelo marinar 1 hora a temperatura ambiente, dándole la vuelta de vez en cuando.

2 Ponga las alubias en un bol apto para microondas y caliéntelas 2 minutos a temperatura media. Antes de que se enfríen, alíñelas con 4 cucharadas del aceite restante e incorpore el chalote, el ajo, el romero, el perejil y el zumo de limón restante. Sazónelas con un poco de sal y abundante pimienta. Déjelas reposar al menos 30 minutos.

3 Pinte una plancha con un poco de aceite y caliéntela a fuego fuerte. Ase el atún un par de minutos por cada lado y páselo a una tabla de cocina. Baje el fuego de la plancha y caliente la marinada un par de minutos.

4 Ponga las alubias en una fuente. Incorpore la alcachofa, el tomate y las aceitunas y repártalo entre 6 platos. Parta el atún en trozos y repártalo sobre la ensalada. Alíñelo con la marinada y sírvalo enseguida con gajos de limón.

28

Trucha

La trucha es un pescado azul que aporta valiosos nutrientes para proteger las articulaciones, la vista y el cerebro.

VALOR NUTRICIONAL DE 100 g DE TRUCHA AUMADA

Kilocalorías	148
Grasas	6,61 g
EPA	0,2 g
DHA	0,53 g
Proteínas	20,77 g
H. de carbono	0 mg
Fibra	0 mg
Vitamina B1	0,35 mg
Vitamina B3	4,5 mg
Vitamina B12	7,79 mg
Vitamina D	155 UI

Los ácidos grasos omega-3 regulan el estado de ánimo y el comportamiento, ya que influyen en la forma en que el organismo utiliza la serotonina y la dopamina, dos neurotransmisores. Se ha demostrado que dos o tres raciones de pescado azul a la semana mejoran el rendimiento intelectual y mitigan la falta de concentración, de memoria y de agudeza mental asociadas a la edad y al estrés. La trucha es el pescado azul menos contaminado por la presencia de mercurio. Los pescados más grandes como el atún y el pez espada acumulan mercurio, por lo que los niños y las embarazadas deben evitar su consumo.

• Contiene astaxantina, una sustancia rosada beneficiosa para la vista y el cerebro.
• Contiene vitamina D, cuya carencia se ha relacionado con casos de depresión y demencia.
• Muy rica en vitaminas del grupo B, que aumentan la vitalidad.
• Los ácidos grasos omega-3 lubrican las articulaciones para garantizar agilidad y ausencia de dolor.

Consejos prácticos:
La trucha puede comprarse fresca o ahumada. La fresca puede rellenarla con hierbas y rodajas de limón y asarla en el horno, mientras que la ahumada es una buena alternativa al salmón, de sabor más fuerte. La trucha es un pescado azul muy recomendable para las personas poco amantes del pescado.

Ensalada de trucha ahumada

PARA 4 PERSONAS

1 pimiento (ají, morrón, chile)
rojo partido por la mitad y sin
pepitas (semillas)

4 filetes de trucha ahumada
de unos 150 g sin piel
y desmenuzados

4 cebolletas (cebollas tiernas o
de verdeo) limpias y picadas

2 cogollos de endibia partidos
por la mitad, en juliana

1½ cucharadas de vinagre
de vino de arroz

½ cucharada de aceite de girasol

2 cucharadas de perejil picado

hojas de achicoria roja
enjuagadas y secadas

sal y pimienta

PREPARACIÓN

1   Pase un pelapatatas de hoja oscilante por la parte cortada
    del pimiento para obtener tiras muy finas. Píquelas y póngalas
    en un bol.

2   Añada la trucha, la cebolleta y la endibia y mézclelo bien.
    Agregue 1 cucharada del vinagre, el aceite, el perejil, sal
    y pimienta y mézclelo de nuevo. Rectifique de vinagre.

3   Tape la ensalada y refrigérela hasta que vaya a servirla. Ponga
    unas hojas de achicoria roja en 4 platos. Remueva la ensalada
    y rectifique la sazón. Reparta la ensalada sobre las hojas de
    achicoria y sírvala.

Vieiras

Aunque no están al alcance de todos los bolsillos, las vieiras son ricas en vitamina B12 y magnesio, que protegen las arterias y los huesos.

VALOR NUTRICIONAL DE 100 g DE VIEIRAS SIN LAS VALVAS

Kilocalorías	88
Grasas	0,8 g
Proteínas	16,8 g
Vitamina B12	1,5 g
Ácido fólico	16 mcg
Potasio	314 mg
Selenio	22 mcg
Magnesio	56 mg
Cinc	0,95 mg
Calcio	24 mg

Las vieiras son una magnífica fuente de vitamina B12, necesaria para que el organismo neutralice la homocisteína, un aminoácido que puede dañar las paredes de los vasos sanguíneos. Un nivel elevado de homocisteína también se relaciona con la osteoporosis. Un estudio reciente ha demostrado que la osteoporosis afecta más a las mujeres con una carencia de vitamina B12. Esta sustancia reviste especial importancia para las personas que no consumen carne roja. Las vieiras también son una buena fuente de magnesio, y su consumo habitual aumenta la densidad ósea, regula el sistema nervioso y mantiene sano el corazón.

- Bajas en calorías y grasa, ideales para dietas hipocalóricas.
- Ricas en magnesio, esencial para todas las células y cuya carencia se relaciona con el asma, la diabetes y la osteoporosis.
- Buena fuente de vitamina B12 para proteger las arterias y los huesos.
- El consumo habitual podría prevenir el cáncer de colon.

Consejos prácticos:

Las vieiras frescas tienen que estar blancas y duras, evite las que estén marronosas o desprendan olor. El coral anaranjado puede desecharse o cocinarse con el resto de la vieira. Prepárelas con tiempos de cocción muy breves para que no queden correosas. El sabor dulce de las vieiras combina bien con guindilla, cilantro, ajo y perejil.

¿Sabía que...?

Las vieiras son ricas en triptófano, un aminoácido que favorece la producción de serotonina (la hormona del bienestar) en el cerebro y previene el insomnio.

Vieiras sobre lecho de fideos

PARA 4 PERSONAS

115 g de fideos de arroz

2 cucharadas de mantequilla

1 diente de ajo majado

1 pizca de pimentón

1 cucharada de aceite de cacahuete (cacahuate, maní) o girasol, y un poco más para pintar

2 cucharadas de pasta de curry verde

2 cucharadas de agua

2 cucharaditas de salsa clara de soja

2 cebolletas (cebollas tiernas o de verdeo) en juliana, y alguna más en rodajitas, para adornar

12 vieiras sin las valvas

sal y pimienta

PREPARACIÓN

1   Cueza los fideos en una cazuela de agua hirviendo 1½ minutos, o según las instrucciones del envase, hasta que estén cocidos. Enjuáguelos con agua fría y escúrralos bien.

2   Mientras tanto, derrita la mantequilla en un cazo. Sofría el ajo a fuego suave, removiendo, 1 minuto. Incorpore el pimentón y resérvelo.

3   Caliente un wok a fuego fuerte. Vierta el aceite y caliéntelo 30 segundos. Añada la pasta de curry, el agua y la salsa de soja y llévelo a ebullición. Eche los fideos y deje que se calienten bien, removiendo con suavidad. Agregue la cebolleta, apártelo del fuego y resérvelo caliente.

4   Caliente una plancha a fuego fuerte y píntela con un poco de aceite. Ase las vieiras, untándolas con la mantequilla de ajo, 3 minutos y, después, deles la vuelta y áselas 2 minutos por el otro lado; una vez hechas, la parte central debe quedar totalmente opaca. Salpiméntelas. Reparta los fideos entre 4 boles y coloque 3 vieiras en cada uno. Adórnelo con las rodajas de cebolleta y sírvalo.

30

Ostras

Ricas en cinc, las ostras son muy apreciadas por sus propiedades nutricionales, que refuerzan el sistema inmunológico y favorecen el proceso de curación del organismo.

VALOR NUTRICIONAL DE 6 OSTRAS

Kilocalorías	50
Grasas	1,3 g
Proteínas	4,4 g
Vitamina B12	13,6 mcg
Ácido fólico	15 mcg
Selenio	53,5 mcg
Magnesio	28 mg
Cinc	31,8 mg
Calcio	37 mg
Hierro	4,9 mcg

Aunque sus propiedades afrodisiacas no se han demostrado, las ostras son una de las fuentes más completas de cinc, un mineral estrechamente relacionado con la fertilidad y la virilidad. Esta sustancia también protege la piel y el sistema inmunológico, además de ser antioxidante. Estudios recientes demuestran que las ceramidas de las ostras inhiben la proliferación de células del cáncer de mama. Asimismo, las ostras contienen una cantidad razonable de ácidos grasos omega-3, son ricas en selenio para reforzar el sistema inmunológico y contienen hierro fácilmente asimilable para aumentar la energía y mantener un perfil sanguíneo bueno.

- Fuente excelente de cinc para la fertilidad y la virilidad.
- Contiene compuestos y materiales que previenen el cáncer.
- Ricas en hierro para aumentar la energía y la resistencia a las infecciones y mantener un buen perfil sanguíneo.
- Buena fuente de vitaminas del grupo B.

Consejos prácticos:

Las ostras tienen que estar muy frescas y, si las come crudas, vivas. Es más seguro consumirlas cultivadas, ya que se ha descubierto que las salvajes contienen niveles tóxicos de contaminantes. Si va a comerlas crudas, frótelas con un cepillo de púas rígidas bajo el chorro de agua. Deseche las que tengan las valvas rotas o magulladas, o las que no se cierren al golpearlas un poco porque significará que están muertas.

¿Sabía que...?

Las ostras suelen engullirse de golpe, directamente de la concha y sin masticar. También pueden prepararse al vapor, aunque pierden parte de sus propiedades.

Ostras Rockefeller

PARA 24 UNIDADES

24 ostras vivas grandes

sal de roca

1 cucharada de mantequilla sin sal

2 cucharadas de aceite de oliva suave

6 cebolletas (cebollas tiernas o de verdeo) picadas

1 diente grande de ajo majado

3 cucharadas de apio picado

40 g de berros

85 g de espinacas tiernas enjuagadas, sin los tallos más duros

1 cucharada de anisete

4 cucharadas de pan recién rallado

unas gotas de tabasco, al gusto

¼ de cucharadita de pimienta

gajos de limón, para servir

PREPARACIÓN

1   Precaliente el horno a 200 °C. Desbulle las ostras pasando un cuchillo entre las valvas y deseche el líquido. Extienda una capa de un par de centímetros de sal en una fuente refractaria lo bastante grande para que las ostras quepan en una sola capa. Disponga las medias valvas en la sal de modo que queden bien encajadas. Tápelas con un paño húmedo mientras prepara la cobertura.

2   Forre cuatro platos con una capa de sal en la que quepan 6 medias valvas. Resérvelos.

3   Derrita la mitad de la mantequilla y el aceite en una sartén grande. Sofría la cebolleta, el ajo y el apio a fuego medio, removiendo a menudo, 2 o 3 minutos o hasta que se ablanden.

4   Incorpore la mantequilla restante, añada los berros y las espinacas y rehóguelas 1 minuto, o hasta que pierdan volumen. Póngalo todo en el robot de cocina o la batidora y añada los ingredientes restantes. Tritúrelo hasta obtener una salsa homogénea.

5   Cubra cada ostra con 2 o 3 cucharaditas de la salsa. Áselas en el horno precalentado 20 minutos. Repártalas entre los platos con sal y sírvalas con gajos de limón.

Kéfir

El kéfir es mucho menos conocido que el yogur, aunque gracias a sus propiedades rejuvenecedoras y su capacidad de reforzamiento del sistema inmunológico tiene cada vez más adeptos.

VALOR NUTRICIONAL DE 100 ML DE KÉFIR

Kilocalorías	61
Grasas	Variable
Proteínas	Variable
H. de carbono	Variable
Calcio	120 mg
Potasio	150 mg
Cinc	0,36 mg

La incorporación de kéfir a la dieta amplía el radio de acción del refuerzo del sistema inmunológico de alimentos fermentados como el yogur, el miso y la col fermentada. Se ha demostrado que ejerce efectos sumamente positivos en el tracto digestivo, donde el equilibrio de bacterias buenas y malas es la base de la capacidad del organismo para combatir infecciones bacterianas, virus y hongos. Los estudios también revelan que destruye activamente bacterias dañinas, y podría ralentizar el crecimiento de ciertos tumores. Una de las bacterias probióticas vivas del kéfir, *Lactobacillus casei,* es lo bastante fuerte como para combatir la pulmonía.

• Los pequeños grumos del kéfir son más digestibles que el yogur, lo que permite eliminar toxinas a través del intestino.
• Aporta proteínas y calcio como la leche pero es más adecuado para las personas con una leve intolerancia a la lactosa.
• Utilizado desde siempre para potenciar la energía, aliviar afecciones cutáneas y prolongar la longevidad.

Consejos prácticos:
Encontrará kéfir en tiendas de dietética, pero también puede prepararlo en casa con cultivos disponibles en Internet. El kéfir también puede prepararse con agua de coco o incluso agua (aunque el valor nutricional indicado en esta página incluye los nutrientes de la leche). Utilice el kéfir como si fuera yogur. Es una base excelente para batidos, ya que su acidez compensa el dulzor de la fruta.

Batido de arándanos

PARA 2 PERSONAS

- 100 ml de kéfir
- 100 ml de agua
- 125 g de arándanos, y algunos más para adornar

PREPARACIÓN

1 Triture el kéfir con el agua y los arándanos en el robot de cocina o la batidora hasta obtener un puré homogéneo.

2 Reparta el batido entre 2 vasos y adórnelo con arándanos.

32

Yogur griego

El yogur griego contiene bacterias que refuerzan el sistema inmunológico y mantienen el sistema digestivo sano y fuerte.

VALOR NUTRICIONAL DE 100 ml DE YOGUR GRIEGO

Kilocalorías	61
Grasas	3,25 g
Proteínas	3,47 g
H. de carbono	4,66 g
Vitamina A	99 IU
Vitamina B2	0,14 mg
Vitamina B5	0,39 mg
Vitamina B12	0,37 mcg
Colina	15,2 mg
Calcio	121 mg
Potasio	155 mg

El yogur griego contiene menos azúcar y más proteínas que otros tipos de yogur y se tamiza para eliminar el suero rico en hidratos de carbono. Su textura espesa sacia más que la de yogures más aguados, y al tener menos lactosa (azúcar de la leche) es más fácil de digerir. El consumo habitual de yogur refuerza el sistema inmunológico y la resistencia frente a las enfermedades.

• El yogur en general reduce el colesterol malo, pero solo el que no está pasteurizado aumenta el bueno, garantizando la buena salud de las arterias.
• Fuente importante de vitamina B12 para los vegetarianos que previene afecciones cutáneas, así como alzhéimer, cardiopatías y diabetes.

Consejos prácticos:

Escoja siempre yogur, puesto que contiene los cultivos vivos beneficiosos. Si es posible, cómprelo directamente al productor, o bien en tiendas de dietética. Estos productos contienen sus propias bacterias y no las que suelen añadirse en el proceso de producción. Evite el yogur con sabor a frutas, ya que contiene azúcar añadido, y endúlcelo con fruta fresca o canela. El sabor fresco y cremoso del yogur griego hace que resulte una buena alternativa a la leche y la nata en platos salados.

Tzatziki

PARA 4 PERSONAS

1 pepino pequeño
300 ml de yogur griego
1 diente grande de ajo majado
1 cucharada de menta o de eneldo picados
sal y pimienta

PREPARACIÓN

1 Pele el pepino y rállelo. Escúrralo y estrújelo para extraerle la mayor cantidad de agua posible. Póngalo en un bol.

2 Añada el yogur, el ajo y la menta picada (si lo desea, reserve un poco para adornar). Salpimiente la salsa, remuévala bien y refrigérela unas 2 horas antes de servirla.

3 Remueva la salsa y pásela a una salsera. Sálela y sírvala.

Huevos ecológicos

Los huevos son una rica fuente de proteínas, además de contener todos los aminoácidos necesarios para favorecer la reparación y la regeneración celular del organismo.

Los huevos son el embrión que alberga una nueva vida, por eso contienen todos los nutrientes que necesitamos para crecer: hierro, cinc, vitamina A, vitamina D, vitaminas del grupo B y ácidos grasos omega-3. Muchas personas evitan su consumo porque contienen colesterol, pero si la dieta es baja en azúcares y en grasas saturadas, el organismo puede compensarlo. Los estudios demuestran que el consumo de huevos previene enfermedades crónicas asociadas a la edad como cardiopatías, pérdida de masa muscular, degeneración de la vista, alopecia y falta de memoria.

- Contienen vitamina B12, que combate la fatiga, la depresión y el letargo.
- La vitamina A y la luteína protegen los ojos y ayudan a tener buena vista.
- Una de las pocas fuentes alimentarias de vitaminas K y D, que refuerzan los huesos.
- Contienen azufre y lecitina, dos sustancias que favorecen la digestión y la depuración del hígado.

Consejos prácticos:
Los huevos no pueden faltar en ninguna despensa y se preparan de muchas formas, como escalfados, revueltos o hervidos. Las tortillas preparadas con saludables hortalizas también pueden degustarse frías como aperitivo. Los huevos de producción ecológica poseen un mayor valor nutricional, como revela el color de la yema y el sabor más intensos.

VALOR NUTRICIONAL DE UN HUEVO MEDIANO

Kilocalorías	65
Grasas	4,37 g
Omega-3	32,6 mg
Omega-6	505 mg
Omega-9	1.582 mg
Proteínas	5,53 g
H. de carbono	0,34 g
Vitamina A	214 UI
Vitamina D	22 UI
Vitamina B2	0,21 mg
Vitamina B5	0,63 mg
Vitamina B12	0,57 mcg
Vitamina K	0,1 mcg
Colina	110,5 mg
Hierro	0,81 mg
Selenio	13,9 mcg
Cinc	0,49 mg
Luteína/Zeaxantina	146 mcg

Tortilla a las hierbas

PARA 1 PERSONA

2 huevos grandes
2 cucharadas de leche
40 g de mantequilla
las hojas de 1 ramita de
perejil picadas
2 tallos de cebollino
(cebollín) picados
sal y pimienta
ensalada verde,
para acompañar

PREPARACIÓN

1   Casque los huevos en un bol. Añada la leche, salpimiente y bátalo hasta mezclar los ingredientes.

2   Caliente una sartén a fuego medio-fuerte. Añada 25 g de la mantequilla y pásela por la base y los lados de la sartén mientras se derrite.

3   En cuanto la mantequilla deje de chisporrotear, eche el huevo. Remuévalo con un movimiento circular con una espátula, sin raspar la base.

4   En cuanto la tortilla comience a cuajar, empuje el huevo cocido hacia el centro de la sartén con la espátula. Repita esta operación durante 3 minutos, o hasta que la tortilla haya cuajado por abajo pero aún esté algo líquida por arriba.

5   Disponga el perejil y el cebollino sobre la tortilla. Dóblela por la mitad con la espátula, cubriendo las hierbas. Deslícela a un plato y frótela con la mantequilla restante. Sírvala con ensalada verde.

34

Arroz integral

El alto contenido de fibra del arroz integral reduce el colesterol y mantiene estables los niveles de glucosa, por lo que es una opción más saludable que el arroz blanco.

Mientras que el arroz blanco contiene pocos nutrientes aparte del almidón, el integral tiene muchas propiedades beneficiosas. El consumo habitual de este y otros cereales integrales previene cardiopatías, diabetes y algunos tipos de cáncer. El arroz integral es una buena fuente de fibra, que reduce el colesterol y mantiene estables los niveles de glucosa. Además, contiene proteínas y es una buena fuente de varias vitaminas del grupo B y minerales, sobre todo selenio y magnesio.

- Índice glucémico razonablemente bajo que regula la glucosa en sangre y puede ir bien en caso de diabetes.
- La vitamina B lo transforma en energía y mantiene el sistema nervioso en buen estado.
- Rico en selenio, que previene el cáncer, y en magnesio, importante para proteger el corazón.

VALOR NUTRICIONAL DE 60 g DE ARROZ INTEGRAL SIN COCER

Kilocalorías	222
Grasas	1,8 g
Proteínas	5 g
H. de carbono	46 g
Fibra	3,6 g
Niacina	3 mg
Vitamina B1	0,2 mg
Vitamina B6	0,3 mg
Selenio	19,6 mcg
Magnesio	86 mg
Hierro	0,8 mg
Cinc	1,3 g
Calcio	20 mg

¿Sabía que...?

Un 90% del arroz se cultiva y se consume en Asia, donde se conoce desde hace más de 6.000 años.

Consejos prácticos:
Guarde el arroz en un lugar fresco y oscuro y consúmalo pocos meses después de comprarlo. El arroz integral dura menos que el blanco, porque contiene pequeñas cantidades de grasa que pueden deteriorarse con el tiempo. También cabe destacar que cuanto más tiempo guarde el arroz, más tardará en cocerse. El arroz cocido se conserva un par de días en el frigorífico si se enfría rápidamente, pero hay que calentarlo muy bien antes de servirlo para matar las bacterias que pueden resultar tóxicas.

Pilaf de arroz integral con hortalizas

PARA 4 PERSONAS

4 cucharadas de aceite vegetal

1 cebolla roja picada

2 ramas tiernas de apio, con las hojas, en rodajitas

2 zanahorias peladas y ralladas gruesas

1 guindilla (ají picante, pimiento chico, chile) verde sin pepitas (semillas) y picada

3 cebolletas (cebollas tiernas o de verdeo) picadas

40 g de almendras partidas por la mitad

350 g de arroz basmati integral cocido

150 g de lentejas rojas partidas cocidas

175 ml de caldo de verduras

5 cucharadas de zumo (jugo) de naranja recién exprimido

sal y pimienta

PREPARACIÓN

1 Caliente 2 cucharadas del aceite en una sartén honda con tapadera. Sofría la cebolla a fuego medio 5 minutos, o hasta que se ablande.

2 Añada el apio, la zanahoria, la guindilla, la cebolleta y la almendra y saltéelo todo 2 minutos, o hasta que las hortalizas estén tiernas pero aún crujientes. Resérvelas en un bol.

3 Ponga el aceite restante en la sartén. Rehogue el arroz y las lentejas a fuego medio-fuerte un par de minutos, o hasta que estén calientes. Baje el fuego e incorpore el caldo y el zumo de naranja. Salpimiente.

4 Devuelva las hortalizas reservadas a la sartén. Mézclelas unos minutos con el arroz hasta que se calienten. Sirva el pilaf en una fuente precalentada.

35

Alubias rojas

Las alubias rojas son ricas en hierro y una fuente excelente de proteínas de buena calidad, cinc y fibra, y contienen compuestos que previenen la formación de coágulos.

Ricas en proteínas y minerales, las alubias rojas son una buena opción para los vegetarianos. Una ración de 60 g cubre al menos una cuarta parte de nuestras necesidades diarias de hierro para prevenir la anemia y aumentar la vitalidad, mientras que el cinc refuerza el sistema inmunológico y preserva la fertilidad. Su alto contenido en fibra insoluble previene el cáncer de colon, mientras que la fibra total regula los niveles de glucosa en sangre en casos de diabetes y resistencia a la insulina.

- Fuente excelente de proteínas, hierro y calcio para los vegetarianos.
- Muy ricas en fibra, que regula la liberación de insulina y calma el apetito, por lo que están indicadas en dietas hipocalóricas.
- Previenen el cáncer de colon.
- Muy ricas en potasio, que evita la retención de líquidos y controla la hipertensión.

Consejos prácticos:

Hay pocas diferencias entre las alubias rojas secas y las envasadas, por lo que si dispone de poco tiempo le resultarán más prácticas estas últimas. Crudas contienen una toxina que puede provocar trastornos estomacales, vómitos y diarrea si no se cocinan adecuadamente. Si las elige secas, déjelas toda la noche en remojo o al menos 12 horas, enjuáguelas con agua fría y hiérvalas a fuego fuerte 10 minutos como mínimo antes de cocinarlas para eliminar las toxinas.

VALOR NUTRICIONAL DE 60 g DE ALUBIAS ROJAS SECAS

Kilocalorías	200
Grasas	0,8 g
Proteínas	13,7 g
H. de carbono	36 g
Fibra	10 g
Ácido fólico	205 mcg
Vitamina B1	0,25 mg
Niacina	0,9 mg
Magnesio	66 mg
Potasio	640 mg
Cinc	1,6 g
Calcio	55 mg
Hierro	3,5 mg

Hortalizas picantes con especias

PARA 6 PERSONAS

4 cucharadas de aceite
de oliva

225 g de champiñones

1 cebolla grande picada

1 diente de ajo picado

1 pimiento (ají, morrón, chile)
verde sin pepitas (semillas)
y en tiras finas

1 cucharadita de cada de
pimentón, cilantro molido
y comino molido

$^1/_4$-$^1/_2$ cucharadita de guindilla
(ají picante, pimiento chico,
chile) molida

400 g de tomate (jitomate)
troceado en conserva

150 ml de caldo de verduras

1 cucharada de concentrado
de tomate (jitomate)

400 g de alubias (porotos,
frijoles) rojas cocidas

sal y pimienta

2 cucharadas de cilantro
picado, para adornar

arroz cocido y nata (crema)
agria, para acompañar

PREPARACIÓN

1   Caliente 1 cucharada de aceite en una sartén grande. Saltee
    los champiñones hasta que se doren. Retírelos con una
    espumadera y resérvelos.

2   Eche el aceite restante en la sartén. Saltee la cebolla, el ajo y
    el pimiento 5 minutos. Incorpore las especias y prosiga con la
    cocción 1 minuto más.

3   Añada el tomate, el caldo y el concentrado, mézclelo bien, tape
    la sartén y cuézalo 20 minutos.

4   Incorpore los champiñones reservados y las alubias rojas y
    cuézalo, tapado, 20 minutos más. Salpimiente. Adórnelo con el
    cilantro y sírvalo con arroz cocido y nata agria.

36

Lentejas

Las lentejas son unas de las legumbres más ricas en fibras anticancerígenas, las isoflavonas y el lignano, además de ser bajas en grasa.

VALOR NUTRICIONAL DE 60 g DE LENTEJAS VERDINAS SECAS

Kilocalorías	212
Grasas	0,6 g
Proteínas	15,5 g
H. de carbono	36 g
Fibra	18 g
Ácido fólico	287 mcg
Vitamina B1	0,5 mg
Niacina	1,6 mg
Vitamina B6	0,3 mg
Magnesio	73 mg
Potasio	573 mg
Cinc	2,9 g
Calcio	34 mg
Hierro	4,5 mg

¿Sabía que...?

Las lentejas son uno de los cultivos más antiguos que existen, como demuestra el hecho de que se encontraran semillas de 8.000 años de antigüedad en Oriente Próximo.

Hay lentejas de distintas variedades, como verdinas, pardinas y rojas. Las verdinas y las pardinas suelen concentrar la mayor cantidad de nutrientes y fibra. Las lentejas son muy ricas en fibra soluble e insoluble, que previene el cáncer y las enfermedades cardiovasculares. Asimismo contienen isoflavonas, que previenen el cáncer y las cardiopatías coronarias, y lignano, que ejerce un suave efecto estrogénico que podría reducir la incidencia de cáncer, neutralizar el síndrome premenstrual y prevenir la osteoporosis. Las lentejas también son ricas en vitaminas del grupo B, ácido fólico y los principales minerales, sobre todo hierro y cinc.

• Ricas en fibra, que previene cardiopatías y cáncer.
• Hierro para mantener un perfil sanguíneo bueno y aumentar la vitalidad.
• Fitoquímicos que neutralizan el síndrome premenstrual y refuerzan los huesos.
• Ricas en cinc, que refuerza el sistema inmunológico.

Consejos prácticos:

Las lentejas son de las pocas legumbres que no precisan remojo. También son relativamente rápidas de preparar, basta cocerlas unos 30 minutos en agua hirviendo. Si las hierve con caldo en lugar de agua tendrá una base para sopas excelente, saludable y práctica. Las lentejas en conserva contienen casi tantos nutrientes como las secas, por lo que son una buena alternativa.

Lentejas a las cinco especias

PARA 4 PERSONAS

125 g de lentejas rojas partidas

125 g de soja pelada partida

900 ml de agua caliente

1 cucharadita de cúrcuma molida

1 cucharadita de sal, o al gusto

1 cucharada de zumo (jugo) de limón

2 cucharadas de aceite de girasol o de oliva

¼ de cucharadita de cada de semillas de mostaza negra, semillas de comino, semillas de cebolla negra y semillas de hinojo

4-5 semillas de alholva

2-3 guindillas (ajís picantes, pimientos chicos, chiles) rojas secas

1 tomate (jitomate) pequeño sin pepitas (semillas) y en tiras y ramitas de cilantro, para adornar

pan naan, para acompañar

PREPARACIÓN

1 Lave las lentejas y la soja con agua fría. Póngalas en una olla con el agua caliente y llévelas a ebullición. Baje el fuego y cueza las legumbres 5 o 6 minutos. Añada la cúrcuma, baje el fuego, tape la olla y prosiga con la cocción 20 minutos más. Agregue la sal, el zumo de limón y, si el guiso quedara demasiado espeso, un poco más de agua.

2 Caliente el aceite a fuego medio en un cazo. Cuando esté a punto de humear, eche las semillas de mostaza. En cuanto empiecen a saltar, baje el fuego al mínimo y añada las semillas de comino, cebolla, hinojo y alholva y las guindillas. Deje que las especias chisporroteen hasta que empiecen a saltar y las guindillas se chamusquen.

3 Pase las legumbres a boles y rocíelas con las especias rehogadas. Adórnelo con el tomate y ramitas de cilantro. Sírvalo con pan naan para acompañar.

37

Cebada integral

Este cereal feculento muy nutritivo contiene fibra soluble que ayuda a reducir el colesterol y previene algunos tipos de cáncer hormonodependiente y cardiopatías.

La cebada integral es un cereal de un intenso sabor que recuerda a los frutos secos con una textura correosa.
La variedad de cebada más habitual es la perlada, que pierde casi todos los nutrientes y la fibra al descascarillarla, mientras que la integral se refina muy poco y, por tanto, es una buena fuente de nutrientes. Entre ellos se cuenta un compuesto similar a la fibra, el lignano, que previene algunos tipos de cáncer hormonodependiente como el de mama y cardiopatías. Aun siendo un cereal, la cebada contiene luteína y zeaxantina, que protegen la vista y la salud de los ojos.

- Cereal integral que previene algunos tipos de cáncer y cardiopatías.
- Buena fuente de minerales y vitaminas del grupo B.
- Rica en fibra para el colon y fibra soluble para reducir el colesterol.
- Mantiene una buena salud de la vista.

Consejos prácticos:
La cebada integral se hierve unas dos horas en agua hirviendo, pero si se deja varias horas en remojo necesitará menos tiempo de cocción. Las grasas de la cebada se enrancian con facilidad, sobre todo si se expone a la luz y ambientes cálidos. Lo mejor es guardarla dentro de un recipiente hermético en un lugar seco, frío y oscuro y consumirla en dos o tres meses. El agua de cebada, resultado de la maceración de los granos, se considera una bebida saludable por sus propiedades diuréticas y sus efectos beneficiosos para los riñones.

VALOR NUTRICIONAL DE 60 g DE CEBADA INTEGRAL SIN COCER

Kilocalorías	212
Grasas	1,4 g
Proteínas	7,5 g
H. de carbono	44 g
Fibra	10,4 g
Vitamina B1	0,4 mg
Niacina	2,8 mg
Selenio	22,5 mcg
Magnesio	80 mg
Potasio	271 mg
Cinc	1,7 g
Calcio	20 mg
Hierro	2,2 mg
Luteína/Zeaxantina	96 mcg

Sopa de hortalizas y cebada

PARA 4-6 PERSONAS

2 cucharadas de aceite
de girasol

1 cebolla picada

1 rama de apio picada

1 diente de ajo majado

1,5 litros de caldo de verduras
o de agua

85 g de cebada integral
enjuagada

1 ramillete de hierbas hecho
con 1 hoja de laurel, ramitas
de tomillo fresco y perejil

2 zanahorias peladas
y en dados

400 g de tomate (jitomate)
troceado en conserva

1 pizca de azúcar

½ cogollo de repollo sin el
troncho y en juliana

sal y pimienta

2 cucharadas de perejil picado,
para adornar

PREPARACIÓN

1   Caliente el aceite en una olla. Sofría la cebolla, el apio y el ajo
    a fuego medio de 5 a 7 minutos, o hasta que se ablanden.

2   Vierta el caldo y llévelo a ebullición, espumando la superficie.
    Añada la cebada y el ramillete de hierbas, baje el fuego, tape
    la olla y cuézalo de 30 minutos a 1 hora, o hasta que la cebada
    comience a ablandarse.

3   Incorpore la zanahoria, el tomate con su jugo y el azúcar.
    Devuelva la sopa a ebullición, baje el fuego, tápela y cuézala
    30 minutos más, o hasta que la cebada y la zanahoria
    estén tiernas.

4   Poco antes de servir la sopa, retire las hierbas, incorpore el
    repollo y salpimiente. Cuézala hasta que el repollo se ablande,
    pásela a boles, adórnela con el perejil y sírvala enseguida.

Avena

La avena es rica en fibra soluble y una fuente de grasas saludables. Ayuda a controlar el apetito, baja el colesterol malo y mantiene estables los niveles de glucosa.

A la avena se le atribuyen varias propiedades saludables. Es rica en un tipo de fibra soluble llamada betaglucano y se ha demostrado que baja el colesterol malo, sube el bueno y regula el sistema circulatorio. También contiene una serie de antioxidantes y fitoquímicos que mantienen el corazón y las arterias en buen estado, como avenantramidas (una fitoalexina con propiedades antibióticas) y vitamina E. Asimismo, contiene polifenoles, compuestos vegetales que neutralizan el crecimiento de tumores. Tiene un índice glucémico relativamente bajo, por lo que resulta muy recomendable en casos de dietas hipocalóricas, resistencia a la insulina y diabetes.

- Contiene fitoquímicos que previenen el cáncer.
- Buena fuente de vitaminas y minerales, como vitaminas del grupo B, vitamina E, magnesio, calcio y hierro.

Consejos prácticos:
Guarde la avena en un recipiente hermético en un lugar seco, frío y oscuro y consúmala en el plazo de 2 o 3 semanas. Con los copos puede hacer galletas y coberturas crujientes, mientras que la harina de avena puede sustituir a la de trigo. Aunque la avena contiene pequeñas cantidades de gluten, las personas con intolerancia al gluten (celíacas) suelen tolerarla bien, sobre todo si no consumen más de 120 g al día. Si es celíaco, consulte con su médico antes de tomar avena.

VALOR NUTRICIONAL DE 60 g DE AVENA SIN COCER

Kilocalorías	233
Grasas	4 g
Proteínas	10 g
H. de carbono	40 g
Fibra	6,4 g
Ácido fólico	34 mcg
Vitamina B1	0,5 mg
Niacina	0,6 mg
Vitamina E	1,5 mg
Magnesio	106 mg
Potasio	257 mg
Cinc	2,4 g
Calcio	32 mg
Hierro	2,8 mg

Bocaditos de avena y miel

PARA 16 UNIDADES

175 g de mantequilla sin sal,
y un poco más para engrasar

3 cucharadas de miel fluida

150 g de azúcar demerara

100 g de crema de cacahuete
(cacahuate, maní)

225 g de copos de avena

50 g de orejones de albaricoque
(damasco)

2 cucharadas de cada de pipas
(semillas) de girasol
y de sésamo

PREPARACIÓN

1   Precaliente el horno a 180 °C. Engrase con mantequilla
un molde cuadrado de 22 cm y fórrelo con papel vegetal.

2   Derrita a fuego lento la mantequilla, la miel y el azúcar en un
cazo. Cuando la mantequilla se haya derretido, añada la crema
de cacahuete y remueva hasta que todo esté bien mezclado.
Agregue los ingredientes restantes y mézclelo bien.

3   Disponga la pasta en el molde presionándola y cuézala
20 minutos en el horno precalentado. Sáquela del horno, déjela
enfriar en el molde, córtela en cuadrados y sírvalos.

39

Quinoa

La quinoa, la mejor fuente vegetal de proteínas, aporta los componentes fundamentales para la regeneración de la piel, los huesos y el cerebro.

VALOR NUTRICIONAL DE 100 g DE QUINOA SIN COCER

Kilocalorías	368
Grasas	6,07 g
Omega-6	2.977 mg
Proteínas	14,12 g
H. de carbono	64,16 g
Fibra	7 mg
Vitamina B1	0,36 mg
Vitamina B2	0,32 mg
Vitamina B3	1,52 mg
Vitamina B5	0,77 mg
Vitamina B6	0,49 mg
Ácido fólico	184 mg
Magnesio	197 mg
Hierro	4,57 mg
Fósforo	457 mg
Potasio	563 mg
Manganeso	2,03 mg
Selenio	8,5 mcg
Cinc	3,1 mg

Muchos alimentos vegetales carecen de uno o más aminoácidos, pero la quinoa los tiene todos, además de numerosos minerales y vitaminas del grupo B. Estos nutrientes permiten asimilar con eficacia las proteínas de la quinoa, que generan la gran cantidad de energía necesaria para la renovación constante de la piel, el cabello, las uñas, los dientes, los huesos y los órganos. En realidad la quinoa es una semilla, no un cereal. Como tal, es rica en ácidos grasos omega-6, de propiedades antiinflamatorias, e ideal en casos de intolerancia al trigo o al gluten.

• Contiene fósforo para fabricar fosfolípidos en el cerebro y el sistema nervioso.
• El potasio equilibra el sodio, reduciendo la hinchazón y la hipertensión.
• El cinc y el selenio ofrecen una potente acción antioxidante.

Consejos prácticos:
Si se guarda convenientemente en un recipiente hermético, la quinoa se conserva hasta un año, mejor si es en un lugar frío, seco y oscuro. La quinoa se cuece de modo similar al arroz. Tiene un agradable sabor a frutos secos y es habitual en platos de la cocina mexicana e india. En copos o en grano también es una buena opción para los cereales del desayuno. La quinoa es lo bastante versátil para preparar tanto platos dulces como salados.

Tabulé

PARA 4 PERSONAS

175 g de quinoa

600 ml de agua

10 tomates (jitomates) cherry madurados al sol partidos por la mitad

1 trozo de pepino de 7,5 cm en cuartos y, después, en rodajas

3 cebolletas (cebollas tiernas o de verdeo) picadas

el zumo (jugo) de ½ limón

2 cucharadas de aceite de oliva virgen extra

4 cucharadas de menta picada

4 cucharadas de cilantro picado

4 cucharadas de perejil picado

sal y pimienta

PREPARACIÓN

1   Ponga la quinoa en una cazuela mediana y cúbrala con el agua. Llévelo a ebullición, tape la cazuela y cueza la quinoa a fuego lento 15 minutos. Escúrrala si fuera necesario.

2   Deje enfriar un poco la quinoa antes de mezclarla con los ingredientes restantes en una ensaladera. Rectifique la sazón y sírvalo.

40

Alforfón

El alforfón contiene un amplio surtido de flavonoides, en especial rutina. Estas sustancias favorecen la circulación de la sangre y previenen las varices.

VALOR NUTRICIONAL DE 100 g DE ALFORFÓN SIN COCER

Kilocalorías	343
Grasas	3,4 g
Omega-6	1.052 mg
Proteínas	13,25 g
H. de carbono	71,5 g
Fibra	10 mg
Vitamina B2	0,43 mg
Vitamina B3	7,02 mg
Vitamina B5	1,23 mg
Vitamina B6	0,21 mg
Ácido fólico	30 mcg
Magnesio	231 mg
Potasio	460 mg
Manganeso	1,33 mg
Selenio	8,3 mcg
Cinc	2,4 mcg

Técnicamente el alforfón es una semilla y no un cereal, por lo que es una fuente excelente de fibra y energía en casos de intolerancia al trigo y al gluten. Tanto si es intolerante como si no, limitar el consumo de trigo puede resultar beneficioso; el alforfón se digiere mejor y también es más alcalino, por lo que ayuda al cuerpo a llevar a cabo los procesos físicos con más eficacia. Es una fuente de energía de liberación lenta y se recomienda en caso de diabetes porque libera los azúcares de manera constante en el torrente sanguíneo. Como el mijo, el alforfón contiene sustancias llamadas nitrilosidas esenciales para procesos depurativos que eliminan las toxinas perjudiciales del organismo.

- Contiene lecitina, que deshace las grasas del hígado y de los alimentos que ingerimos, favoreciendo la depuración y reduciendo el ansia por comer grasas.
- La acción conjunta del magnesio y el potasio garantizan un corazón y unos huesos sanos.
- El selenio produce glutatión y coenzima Q-10, dos antioxidantes rejuvenecedores.

Consejos prácticos:
El alforfón es una buena alternativa al arroz. También se vende en forma de copos para los cereales del desayuno. Con la harina de alforfón se obtienen excelentes tortitas sin gluten o blinis típicas de Polonia, Rusia y también Francia.

Ensalada de alforfón, feta y tomate

PARA 4 PERSONAS

2 cucharadas de aceite de oliva

1 cebolla picada y 2 dientes de ajo majados

200 g de alforfón (trigo sarraceno) y 400 g de tomate (jitomate) troceado en conserva

½ cucharadita de concentrado de tomate (jitomate)

250 ml de caldo de verduras con poca sal

1 cucharada de salvia fresca picada o ½ de salvia seca

1 pizca de copos de guindilla (ají picante, pimiento chico, chile)

115 g de feta desmenuzado

sal y pimienta

PREPARACIÓN

1 Caliente el aceite a fuego medio-fuerte en una sartén honda con tapadera. Sofría la cebolla y el ajo 5 minutos. Incorpore el alforfón y rehóguelo 1 minuto.

2 Añada el tomate con su jugo, el concentrado de tomate, el caldo, la salvia, la guindilla y sal y pimienta. Llévelo a ebullición sin dejar de remover, baje el fuego, tape la sartén y cuézalo de 20 a 25 minutos, o hasta que el líquido se haya absorbido y el alforfón esté tierno.

3 Incorpore con suavidad el feta, tape de nuevo la sartén y déjelo reposar 20 minutos. Antes de servirlo, ahuéquelo un poco con un tenedor.

41

Miso

El miso es un ingrediente tradicional japonés con el que se condimentan varios platos. Como es sabido, la dieta japonesa se asocia a la longevidad y la buena salud.

El miso es un condimento tradicional japonés fruto de la fermentación de soja con sal y un cultivo llamado *koji,* aunque también se elabora con arroz, trigo o cebada. Como el yogur y el kéfir, el miso se asocia a la salud intestinal puesto que alimenta las bacterias probióticas beneficiosas del organismo. Esto favorece la eliminación de toxinas y la absorción de nutrientes para mantener sano el cuerpo. Los alimentos fermentados también refuerzan el sistema inmunológico, reduciendo la hipersensibilidad y la inflamación propias de las alergias al polen y los problemas cutáneos.

- Contiene triptófano, necesario para fabricar la serotonina responsable del bienestar y el sueño reparador.
- El manganeso fabrica la enzima superóxido dismutasa, un antioxidante de acción depurativa.
- La vitamina K transporta el calcio por todo el cuerpo y favorece la salud ósea y la coagulación de la sangre.
- Rico en cinc, que refuerza el sistema inmunológico y acelera los procesos curativos, además de rejuvenecer la piel.

Consejos prácticos:
El miso es salado, pero basta una pequeña cantidad para disfrutar de todo su sabor y aprovechar sus minerales. En pasta es mejor que en polvo y, si se disuelve en agua hirviendo, se obtiene una sopa rápida y sencilla. Para preparar un caldo más consistente, mézclelo con hortalizas hervidas y jengibre y, si lo prefiere, gambas, pollo o tofu.

VALOR NUTRICIONAL DE 15 ml DE MISO

Kilocalorías	34
Grasas	1,03 g
Proteínas	2,01 g
H. de carbono	4,55 g
Fibra	0,93 g
Vitamina B1	0,02 mg
Vitamina B2	0,04 mg
Vitamina B3	0,16 mg
Vitamina B5	0,06 mg
Vitamina B6	0,03 mg
Vitamina B12	0,43 mcg
Vitamina K	8,53 mcg
Hierro	0,43 mg
Selenio	1,2 mcg
Cinc	0,44 mg
Manganeso	0,3 mg

Sopa de miso

PARA 4 PERSONAS

1 litro de agua

2 cucharaditas de dashi soluble

175 g de tofu blando escurrido y en daditos y 4 setas (hongos) shiitake en láminas

4 cucharadas de miso

2 cebolletas (cebollas tiernas o de verdeo) picadas

PREPARACIÓN

1 Lleve a ebullición el agua con el dashi en una olla. Eche el tofu y las setas y déjelo a fuego bajo 3 minutos.

2 Incorpore el miso y deje que la sopa hierva despacio, removiendo, hasta que la pasta de miso se haya disuelto.

3 Añada la cebolleta y sirva la sopa enseguida. Remuévala bien antes de repartirla, porque el miso se deposita con rapidez en el fondo.

42

Miel

La miel sin pasteurizar es uno de los productos antibacterianos más antiguos que se conocen. Aplicada por vía tópica posee un efecto antiséptico y antibacteriano.

VALOR NUTRICIONAL DE 15 ml DE MIEL

Kilocalorías	45,5
Grasas	0 g
Proteínas	0,04 g
H. de carbono	12,36 g
Fibra	0,03 g

¿Sabía que...?

Mezclada con agua, la miel forma peróxido de hidrógeno, un antiséptico que puede aplicarse directamente en las heridas para secarlas y evitar que se infecten mientras se curan.

La miel se forma cuando la saliva de las abejas entra en contacto con el néctar que liban de las flores, por ello las distintas variedades revelan el sabor de las flores que han visitado más asiduamente. Si está sin pasteurizar contiene una serie de antioxidantes como crisina y vitamina C, que se destruyen al calentarla o manipularla en exceso. La miel de manuka de Nueva Zelanda es la única variedad cuya capacidad para destruir bacterias perjudiciales se ha demostrado científicamente, y se comercializa por lotes catalogados según la eficacia. Es dos veces más eficaz que otros tipos de miel frente a las bacterias *E. coli* y *Staphylococcus,* que suelen infectar las heridas.

- La miel sin pasteurizar contiene própolis, que mitiga la inflamación y el envejecimiento prematuro.
- La miel de buena calidad contiene lactobacilos y bifidobacterias, dos tipos de bacterias beneficiosas que refuerzan el sistema inmunológico.
- Aplicada por vía tópica, la miel elimina manchas y cura quemaduras, cortes e irritaciones.

Consejos prácticos:
Elija miel de buena calidad, si es posible una variedad sin pasteurizar. La miel más oscura, como la de alforfón y salvia, contiene más antioxidantes, mientras que la de flores estivales es más rica en bacterias beneficiosas.

Copos de avena con fruta y miel

PARA 6-8 PERSONAS

250 g de copos de avena

2 manzanas Granny Smith,
o manzanas ácidas similares,
peladas y en dados

100 g de higos secos picados

55 g de almendra fileteada

2 cucharadas de miel fluida
de buena calidad

50 ml de agua fría

1 cucharadita de canela molida

1 cucharadita de esencia
de vainilla

1 cucharadita de mantequilla
derretida, para engrasar

yogur griego, para acompañar

PREPARACIÓN

1   Precaliente el horno a 160 °C. Mezcle los copos de avena con la manzana, los higos y la almendra en un bol grande. Lleve a ebullición la miel con el agua, la canela y la vainilla en un cazo. Échelo sobre la avena, removiendo para que todos los ingredientes queden bien impregnados.

2   Engrase una bandeja de horno con un poco de mantequilla y extienda la pasta de avena de modo uniforme. Cuézala de 40 a 45 minutos en el horno, o hasta que se dore, removiendo con un tenedor de vez en cuando para deshacer los grumos. Páselo a una bandeja limpia y déjelo enfriar antes de guardarlo en un recipiente hermético. Desmenúcelo sobre unos boles con yogur griego.

43

Canela

La canela es una especia antiinflamatoria y antibacteriana que alivia la hinchazón y el ardor de estómago y previene apoplejías.

Kilocalorías	**18**
Grasas	**Trazas**
Proteínas	**Trazas**
H. de carbono	**5,5 g**
Fibra	**3,7 g**
Ácido fólico	**287 mcg**
Potasio	**34 mg**
Calcio	**84 mg**
Hierro	**2,6 mg**

La canela contiene varios aceites y compuestos beneficiosos, como cinamaldehído, cinamil acetato y cinamil alcohol. El cinamaldehído tiene propiedades anticoagulantes, que previenen apoplejías, y antiinflamatorias, que alivian los síntomas de la artritis y el asma. También es digestiva, ya que alivia la hinchazón y la flatulencia y calma el ardor de estómago. La acción antibacteriana de la canela neutraliza los hongos, la candidiasis y los parásitos que contaminan la comida. Un estudio demostró que la canela podía reducir los niveles de glucosa y colesterol en sangre.

• Combate la indigestión y la hinchazón.
• Acción antibacteriana y antifúngica.
• Previene la formación de coágulos.
• Podría reducir los niveles de glucosa y colesterol en sangre.

Consejos prácticos:
La canela auténtica se obtiene de la corteza interna de un árbol caduco de la familia del laurel nativo de Sri Lanka, mientras que la canela de casia es otra variedad originaria de China. Ambas se venden por igual, pero no siempre es posible averiguar su procedencia. Las ramas de canela enteras conservan el aroma y el sabor hasta un año, mientras que la especia secada y molida dura unos seis meses. Añádala en ramas enteras o partidas o bien molida para condimentar platos dulces y salados.

Naranjas gratinadas a la canela

PARA 4 PERSONAS

4 naranjas grandes
1 cucharadita de canela molida
1 cucharada de azúcar demerara

PREPARACIÓN

1 Precaliente el gratinador a la temperatura máxima. Parta las naranjas por la mitad y, si fuera necesario, retíreles las pepitas. Deslice un cuchillo afilado o uno especial para cítricos alrededor de la pulpa para separarla de la piel. Haga un corte en la separación de los gajos para que después resulte más fácil comerse la naranja.

2 Disponga las mitades de naranja, con la parte cortada hacia arriba, en una fuente refractaria llana. Mezcle la canela con el azúcar en un cuenco y espárzalo por encima.

3 Gratine las naranjas de 3 a 5 minutos, o hasta que el azúcar se caramelice, se dore y borbotee. Sírvalas enseguida.

44

Té verde

Hace mucho que chinos y japoneses conocen las propiedades saludables del té verde, que consideran imprescindible para el corazón, la vitalidad y la piel.

VALOR NUTRICIONAL DE 225 ML DE TÉ VERDE

Kilocalorías	2
Grasas	0 g
Proteínas	0 g
H. de carbono	**Trazas**
Fibra	0 g
Catequinas	**3,75 g**

Las hojas de la planta *Camellia sinensis* están cargadas de catequinas, que ejercen una acción antioxidante, antibacteriana y antiviral, por tanto previenen el cáncer y ayudan a reducir el colesterol y a diluir la sangre. Uno de estos compuestos, la epicatequina galato, penetra en las células y protege el valioso ADN con el que el organismo multiplica las células y combate el daño provocado por el envejecimiento. Esta sustancia también previene la formación de células cancerígenas y bloquea la respuesta del cuerpo para neutralizar la severidad de las alergias.

• Ayuda a perder peso gracias a su acción quemagrasas y a que regula los niveles de glucosa e insulina.
• Contiene quercetina, un bioflavonoide que reduce la inflamación y controla las alergias alimentarias.
• Las catequinas favorecen la depuración del hígado, por lo que ayudan a eliminar las toxinas dañinas y mantienen la piel lustrosa.

Consejos prácticos:
Si sustituye el té negro o el café por té verde reducirá la ingesta de teína y evitará el envejecimiento prematuro. El té verde son las hojas secas de la planta del té, mientras que el negro se deja fermentar. Por efecto de la fermentación, el té negro concentra mucha más teína, unos 50 mg por taza comparados con los 5 mg del verde. La intensidad y el sabor dependen de la variedad, por lo que merece la pena probar algunas para decidir cuál le gusta más.

Batido de té verde y ciruela

PARA 2 PERSONAS

1 bolsita de té verde

300 ml de agua hirviendo

1 cucharadita de miel de buena calidad, al gusto (opcional)

115 g de ciruelas amarillas maduras partidas por la mitad y sin el hueso (carozo)

PREPARACIÓN

1 Ponga la bolsita de té en una tetera y escáldela con el agua hirviendo. Déjelo en infusión 7 minutos. Retire la bolsita y deséchela. Cuando el té se haya enfriado, refrigérelo.

2 Vierta el té frío en el robot de cocina o la batidora. Añada la miel (si lo desea) y las ciruelas y tritúrelo bien.

3 Sirva el batido enseguida.

45

Vino tinto

El vino tinto es un ingrediente importante de la dieta mediterránea, conocida porque retrasa el envejecimiento. Tomado con moderación ofrece excelentes propiedades cardiosaludables.

La potente acción antioxidante del vino tinto procede de una sustancia llamada resveratrol, que el hollejo de las uvas tintas concentra más que cualquier otro alimento. Se trata de una sustancia tan prodigiosa que basta con tomar vino tinto habitualmente con moderación –menos de 2 vasos diarios– para que las plaquetas pierdan adherencia y los vasos sanguíneos no se obstruyan y se mantengan flexibles. Esto influye positivamente en casos de hipertensión y, por tanto, previene cardiopatías. Se estima que el consumo de vino tinto sumaría un año de esperanza de vida, sobre todo si se toma en las comidas en el marco de una dieta saludable.

- El resveratrol es muy efectivo en la prevención de enfermedades.
- También es un potente antiinflamatorio que garantiza una piel saludable y unas articulaciones sanas.
- El cabernet sauvignon en concreto mejoraría la falta de memoria propia del alzhéimer.

Consejos prácticos:
Si el consumo semanal supera los 14 vasos en el caso de las mujeres y de 21 en el de los hombres el vino pierde sus propiedades beneficiosas. La calidad también es clave: cuanto más fuerte sea el color, más antioxidantes tendrá. Las mayores concentraciones se encuentran en las uvas merlot, cabernet sauvignon y chianti. Los vinos de La Rioja y los pinot noir ofrecen cantidades moderadas de antioxidantes, y los de la denominación francesa Côtes du Rhône son los más pobres.

VALOR NUTRICIONAL DE 125 ml DE VINO TINTO

Kilocalorías	95
Grasas	0 g
Proteínas	0,07 g
H. de carbono	2,87 g
Fibra	Trazas
Vitamina C	Trazas
Potasio	Trazas
Licopeno	Trazas
Luteína/Zeaxantina	145,6 mg

¿Sabía que...?

Sorber el vino tinto lentamente aumenta el nivel de resveratrol en sangre unas 100 veces porque se absorbe mucho mejor a través de la boca que del intestino.

Col lombarda al vino tinto

PARA 6 PERSONAS

2 cucharadas de mantequilla

1 diente de ajo picado

650 g de col lombarda
(repollo morado) en juliana

150 g de pasas sultanas

1 cucharada de miel fluida de
buena calidad

100 ml de vino tinto

100 ml de agua

PREPARACIÓN

1 Derrita la mantequilla a fuego medio en una olla. Sofría el ajo, removiendo, 1 minuto, hasta que se ablande un poco.

2 Añada la col lombarda y las pasas y, después, incorpore la miel. Déjelo en el fuego 1 minuto más.

3 Vierta el vino y el agua y llévelo a ebullición. Baje el fuego, tape la olla y cueza la col a fuego suave, removiendo de vez en cuando, 45 minutos o hasta que esté hecha. Sírvalo caliente.

46

Chocolate negro

Nuestro idilio con el chocolate está arraigado a sus propiedades saludables. El cacao es muy rico en nutrientes, compuestos que levantan el ánimo y antioxidantes.

VALOR NUTRICIONAL DE 100 g DE CHOCOLATE NEGRO CON UN 70-85% DE CACAO

Kilocalorías	598
Grasas	42,63 g
Omega-9	12.652 mg
Proteínas	7,79 g
H. de carbono	45,9 g
Fibra	10,9 g
Vitamina B3	1,05 mg
Vitamina B5	0,42 mg
Magnesio	228 mg
Potasio	716 mg
Fósforo	308 mg
Hierro	11,9 mg
Manganeso	1,95 mg
Selenio	6,8 mcg
Cinc	3,31 mg
Cafeína	75,6 mg
Teobromina	448,8 mg

El cacao, el fruto del que se obtiene el chocolate, es muy nutritivo porque contiene sustancias rejuvenecedoras como potasio, magnesio, vitaminas B3 y B5, cinc y selenio. Sin embargo, su verdadero potencial reside en los antioxidantes. El chocolate contiene cuatro veces más catequinas que el té verde y el doble que el vino tinto. Estas sustancias reducen la incidencia de infartos y cáncer al reducir la inflamación y favorecer la renovación de los vasos sanguíneos, la piel y los huesos. A corto plazo, el chocolate negro libera endorfinas, las «hormonas de la felicidad».

- La cafeína y la teobromina aumentan la vitalidad y, en moderación, equilibran la glucosa en sangre.
- Contiene grasas monoinsaturadas saludables, que mantienen el corazón joven y fuerte.

Consejos prácticos:

Las propiedades saludables solo se atribuyen al chocolate negro de buena calidad; la leche y el azúcar del chocolate con leche las anulan. El chocolate negro elaborado al menos con un 70% de cacao aumenta el nivel de antioxidantes. Tenga en cuenta que el chocolate contiene cafeína, y que una chocolatina contiene una cantidad de cafeína equivalente al tercio de una taza de café.

Mole

PARA 6-8 PERSONAS

9 guindillas (ajís picantes,
pimientos chicos, chiles)
secas variadas remojadas
30 minutos en agua caliente
y escurridas

1 cebolla en rodajas

2-3 dientes de ajo majados

85 g de semillas de sésamo

85 g de almendra tostada
fileteada

1 cucharadita de cilantro
molido

4 clavos

1/2 cucharadita de pimienta

2-3 cucharadas de aceite
de oliva

300 ml de caldo de pollo
o de verduras

450 g de tomates (jitomates)
maduros pelados y picados

2 cucharaditas de canela
molida

55 g de pasas

140 g de pipas (semillas) de
calabaza (zapallo anco,
zapallito)

55 g de chocolate negro con
un 70% de cacao, troceado

1 cucharada de vinagre
de vino tinto

PREPARACIÓN

1   Triture las guindillas en la batidora con la cebolla, el ajo, el sésamo, la almendra, el cilantro, los clavos y la pimienta hasta obtener una pasta espesa.

2   Caliente el aceite en una cazuela y rehogue la pasta 5 minutos. Añada el caldo, el tomate, la canela, las pasas y las pipas de calabaza. Llévelo a ebullición, baje el fuego y déjelo a fuego suave, removiendo de vez en cuando, 15 minutos.

3   Incorpore el chocolate y el vinagre. Cueza el mole 5 minutos a fuego lento y sírvalo como desee. Normalmente se sirve con platos de aves.

Nueces

Los nutrientes de las nueces, conocidas por su riqueza en ácidos grasos omega-3, previenen cardiopatías, cáncer, artritis y afecciones cutáneas leves.

Kilocalorías	196
Grasas	19,5 g
Proteínas	4,5 g
H. de carbono	4 g
Fibra	2 g
Niacina	0,3 mg
Vitamina B6	0,16 mg
Calcio	29 mg
Potasio	132 mg
Magnesio	47 mg
Hierro	0,9 mg
Cinc	0,9 mg

Al contrario que la mayoría de los frutos secos, las nueces son mucho más ricas en grasas poliinsaturadas que monoinsaturadas. Las grasas poliinsaturadas de las nueces son básicamente ácidos grasos omega-3 en forma de ácido alfa-linolénico: una sola ración supera las necesidades diarias recomendadas. El consumo adecuado y equilibrado de ácidos grasos omega se ha relacionado con la prevención de cardiopatías, cáncer, artritis, afecciones cutáneas y enfermedades del sistema nervioso. Las personas que no toman pescado ni aceites de pescado deberían obtener ácidos grasos omega-3 de otras fuentes, como las nueces, la linaza y la soja.

• Buena fuente de fibra y vitaminas del grupo B.
• Ricas en ácidos grasos omega-3 y antioxidantes.
• Buena fuente de varios minerales importantes.
• Pueden reducir el colesterol malo y la tensión arterial, así como aumentar la elasticidad de las arterias.

Consejos prácticos:
Al ser ricas en grasas poliinsaturadas, las nueces se enrancian enseguida. Cómprelas con cáscara, refrigérelas y consúmalas enseguida. No las compre picadas a no ser que vaya a utilizarlas de inmediato, ya que se oxidan muy pronto. Es mejor comérselas crudas como aperitivo, pero también pueden añadirse a panes y pasteles.

Pan de nueces y semillas

PARA 2 PANES GRANDES

- 450 g de harina integral
- 450 g de harina con levadura, y un poco más para espolvorear
- 2 cucharadas de semillas de sésamo
- 2 cucharadas de pipas (semillas) de girasol
- 2 cucharadas de semillas de amapola
- 115 g de nueces picadas
- 2 cucharaditas de sal
- 15 g de levadura seca
- 2 cucharadas de aceite de oliva o de nueces
- 750 ml de agua templada
- 1 cucharada de mantequilla derretida o de aceite, para engrasar

PREPARACIÓN

1. Mezcle los dos tipos de harina con las semillas, las nueces, la sal y la levadura en un bol. Añada el aceite y el agua y trabaje bien los ingredientes hasta obtener una masa blanda. Vuelque la masa en la encimera espolvoreada con un poco de harina y trabájela enérgicamente 5 minutos, o hasta que esté fina y elástica.

2. Póngala de nuevo en el bol, tápela con un paño húmedo y déjela reposar en un lugar cálido de 1 a 1½ horas, o hasta que haya duplicado su volumen. Vuélquela sobre la encimera enharinada y amásela 1 minuto más.

3. Engrase dos moldes rectangulares de 900 g de capacidad con la mantequilla. Divida la masa en dos. Dele forma a una porción para que tenga la misma longitud del molde y tres veces su anchura. Doble la masa en tres a lo largo e introdúzcala en el molde con el lado de la juntura hacia abajo. Repita la operación con la otra porción de masa.

4. Tape los panes y resérvelos en un lugar cálido unos 30 minutos, o hasta que suban.

5. Mientras tanto, precaliente el horno a 230 °C. Hornee los panes de 25 a 30 minutos, o hasta que se doren. Si se doraran demasiado, baje la temperatura a 220 °C. Déjelos enfriar en una rejilla.

Nueces de Brasil

Una de las mejores fuentes de selenio, de acción antioxidante, las nueces de Brasil también contienen calcio y magnesio para mantener los huesos fuertes.

VALOR NUTRICIONAL DE 30 g DE NUECES DE BRASIL

Kilocalorías	197
Grasas	19,9 g
Proteínas	4,3 g
H. de carbono	3,7 g
Fibra	2,3 g
Vitamina E	1,7 mcg
Calcio	48 mg
Potasio	198 mg
Magnesio	113 mg
Cinc	1,2 mg
Selenio	575 mcg

Las nueces de Brasil son muy ricas en grasa, buena parte de la cual es monoinsaturada. También contienen una cantidad razonable de grasa poliinsaturada y abundante ácido linolénico omega-6, una de las grasas esenciales. Cuando se someten a altas temperaturas, estas grasas se oxidan y las nueces pierden sus propiedades, por lo que es mejor comerlas crudas. Son muy ricas en selenio y, por término medio, bastan un par de unidades para cubrir las necesidades diarias recomendadas. El selenio es imprescindible para mantener en buen estado los órganos internos, como el hígado, los riñones y el páncreas. Las nueces de Brasil también son ricas en magnesio y calcio.

- Muy ricas en selenio, un mineral que suele faltar en las dietas modernas.
- Ricas en magnesio, que protege el corazón y los huesos.
- Buena fuente de vitamina E, que mantiene la piel joven y acelera los procesos curativos.

Consejos prácticos:
Con cáscara se conservan hasta seis meses en un lugar frío, seco y oscuro. Si están peladas, refrigérelas y consúmalas en las semanas siguientes porque se enrancian enseguida. Es mejor comerlas crudas.

¿Sabía que...?

Las nueces de Brasil no son un fruto seco, sino semillas encerradas en un fruto duro. Los árboles crecen silvestres en las selvas tropicales del Amazonas de Brasil y raramente se cultivan.

Cóctel de frutos secos

PARA 12 PORCIONES

85 g de cada de orejones de albaricoque (damasco) picados, arándanos rojos secos y anacardos (castañas de cajú, nueces de la India) tostados

85 g de avellanas peladas

85 g de nueces de Brasil peladas y partidas por la mitad y 85 g de almendra fileteada

4 cucharadas de cada de semillas de calabaza (zapallito) tostadas y de girasol, y de piñones tostados

PREPARACIÓN

1   Ponga todos los ingredientes en un recipiente hermético, ciérrelo y agítelo varias veces. Agite el recipiente cada vez que vaya a servir los frutos secos y, después, ciérrelo bien. Este cóctel se conserva hasta 2 semanas cerrado herméticamente.

Aceite de coco

Cocinar con aceite de coco es una manera sencilla de neutralizar la exposición a los radicales libres que se generan al asar y freír los alimentos.

Al cocinar con aceite, el calor afecta negativamente a las moléculas de grasa del mismo, lo que interfiere en la digestión. Los radicales libres que se generan pueden dañar los tejidos y aumentar el riesgo de contraer cáncer, cardiopatías y osteoporosis. De todas las grasas saturadas, el aceite de coco es el menos propenso al daño del calor, la luz y el oxígeno, y puede calentarse a temperaturas de hasta 190 °C. El coco contiene un 60% de triglicéridos de cadena media, aceites de origen vegetal que aceleran el metabolismo y que el cuerpo no almacena en forma de grasa.

- Las grasas del aceite de coco renuevan la flora intestinal, favoreciendo la digestión.
- Se ha demostrado que el consumo habitual favorece la función de la tiroides y regula el metabolismo y el estado anímico.

Consejos prácticos:
El aceite de coco, que se convierte en un líquido claro al calentarse, puede utilizarse con todo tipo de cocciones y no presenta trazas del sabor de la pulpa. Aun así su comportamiento difiere de otros tipos de aceite, por lo que no está de más experimentar un poco. Elija una variedad virgen y evite las que se hayan hidrogenado o que contengan conservantes.

VALOR NUTRICIONAL DE 15 ml DE ACEITE DE COCO

Kilocalorías	129
Grasas	15 g
Ácido láurico	6,69 g
Ácido caprílico	1.125 g
Ácido mirístico	2,5 g
Omega-6	270 mg
Omega-9	870 mg
Proteínas	Trazas
H. de carbono	Trazas
Fibra	Trazas

Curry verde tailandés

PARA 4 PERSONAS

2 cucharadas de cada de aceite de coco y pasta de curry verde tailandesa

500 g de pechugas de pollo sin hueso ni piel y en dados

2 hojas de lima (limón) kafir troceadas y 1 tallo de limoncillo picado

225 ml de leche de coco

16 berenjenas pequeñas partidas por la mitad

2 cucharadas de salsa de pescado tailandesa

ramitas de albahaca tailandesa y hojas de lima (limón) kafir en tiras finas, para adornar

PREPARACIÓN

1 Caliente un wok grande a fuego medio. Eche el aceite y caliéntelo 30 segundos. Saltee la pasta de curry hasta que desprenda todo su aroma.

2 Añada el pollo, las hojas de lima y el limoncillo y saltéelo todo 3 o 4 minutos, hasta que el pollo comience a dorarse. Incorpore la leche de coco y la berenjena y déjelo a fuego lento de 8 a 10 minutos, o hasta que esta última esté tierna.

3 Incorpore la salsa de pescado y sírvalo enseguida adornado con ramitas de albahaca tailandesa y hojas de lima kafir.

50

Aceite de oliva

Bien conocido por sus grasas monoinsaturadas cardiosaludables, el aceite de oliva virgen extra también contiene una serie de compuestos vegetales de acción antioxidante y vitamina E.

Kilocalorías	**130**
Grasas	**15 g**
Proteínas	**Trazas**
H. de carbono	**Trazas**
Fibra	**Trazas**
Vitamina C	**Trazas**
Potasio	**Trazas**
Licopeno	**Trazas**
Luteína/Zeaxantina	**Trazas**

Las grasas que predominan en el aceite de oliva son monoinsaturadas, que previenen el colesterol que se deposita en las paredes e las arterias y, por tanto, previene cardiopatías y apoplejías. Además, la primera presión de las aceitunas (como en el caso del aceite de oliva virgen extra, sobre todo la «presión en frío») produce un aceite rico en compuestos vegetales beneficiosos. Estas sustancias previenen el cáncer y la hipertensión y bajan el colesterol, mientras que el oleocantal es un compuesto antiiflamatorio con una acción similar a la del ibuprofeno. El aceite de oliva también es una buena fuente de vitamina E.

- Regula el colesterol y previene cardiopatías.
- Rico en polifenoles, que previenen el cáncer de colon, entre otros.
- Previene la bacteria *H. pylori,* que puede provocar úlceras de estómago.
- Acción antibacteriana y antioxidante.

Consejos prácticos:
Guarde el aceite de oliva en un lugar oscuro y consúmalo en el plazo de dos meses una vez abierto el envase. Cómprelo en un establecimiento muy frecuentado donde se exponga en un lugar con poca luz. Para disfrutar de todas sus propiedades, tómelo en frío en ensaladas, con pan o con hortalizas. No cocine con aceite de oliva virgen extra a altas temperaturas, porque se perderían sus compuestos vegetales beneficiosos.

¿Sabía que...?

La luz destruye buena parte de los compuestos saludables del aceite de oliva; al cabo de un año, el aceite envasado en botellas transparentes expuestas a la luz pierde un 30% de los antioxidantes.

Aceite de oliva al limón

PARA 250 ML

la piel (cáscara) de 1 limón

1 limón entero

2 cucharaditas de pimienta de colores en grano

250 ml de aceite de oliva

PREPARACIÓN

1   Corte la piel de limón en juliana, retirando la membrana blanca. Parta el limón entero en rodajas finas. Maje la pimienta en el mortero.

2   Ponga la piel y las rodajas de limón, la pimienta y el aceite en un bol refractario encajado en la boca de un cazo con agua hirviendo a fuego lento, sin que llegue a tocarla, y caliéntelo 1 hora. Vaya rellenando el cazo con agua durante la cocción.

3   Aparte el bol del calor, déjelo enfriar y, después, cuele el aceite con un trozo de muselina sobre una jarra limpia. Tápelo y refrigérelo. Si lo prefiere, deje la piel de limón y la pimienta en la jarra, refrigere el aceite y cuélelo antes de utilizarlo. Unte unos filetes de pescado blanco o unas pechugas de pollo con el aceite aromatizado si desea darles un sabor refrescante a cítricos.